#하루에_조금씩
#쑥쑥_크는
#어휘력 #사고력

똑똑한
하루 어휘

Chunjae
Makes
Chunjae

▼

[똑똑한 하루 어휘] 6단계 B

편집개발 김주남, 안정아
디자인총괄 김희정
표지디자인 윤순미, 안채리
내지디자인 박희춘, 이혜미
일러스트 위희경, 박종호
제작 황성진, 조규영

발행일 2021년 12월 15일 초판 2021년 12월 15일 1쇄
발행인 (주)천재교육
주소 서울시 금천구 가산로9길 54
신고번호 제2001-000018호
고객센터 1577-0902

※ 정답 분실 시에는 천재교육 교재 홈페이지에서 내려받으세요.
※ KC 마크는 이 제품이 공통안전기준에 적합하였음을 의미합니다.
※ 주의
책 모서리에 다칠 수 있으니 주의하시기 바랍니다.
부주의로 인한 사고의 경우 책임지지 않습니다.
8세 미만의 어린이는 부모님의 관리가 필요합니다.

똑 똑 한
하루 어휘

어떤 책인가요?

어휘력

탄탄한 어휘 실력을 다지는 교재
- 쉽고 재미있게 말의 뜻 이해
- 바르고 정확한 어휘를 배우는 교재

말의 감각을 키우는 교재
- 어휘 구조에 대한 이해력 향상
- 유사 어휘를 비교하며 말의 감각을 길러 주는 교재

어휘 탐구

어휘의 확장성을 풍부하게 해 주는 교재
- 다양한 속담, 관용어, 사자성어 수록
- 문맥 속 어휘 활용력을 향상시켜 주는 교재

자르는 선

똑똑한

하루 어휘

총 14권

한글

예비초등 A   예비초등 B

예비초등

***권장 대상:** 5~7세 예비 초등
한글을 배우는 아동

- 자음자, 모음자, 받침 등 한글 기초 교재
- 붙임 딱지를 붙이며 한글의 짜임을 이해
- 한글을 익히며 자연스럽게 어휘력 키우기

맞춤법 + 받아쓰기

1단계 A, B / 2권

2단계 A, B / 2권

1~2단계

***권장 대상:** 초등 1학년 ~ 초등 2학년
한글에 익숙한 예비 초등

- 어휘로 공부하는 받아쓰기 교재
- 소리와 글자가 다른 낱말 집중 학습
- QR을 이용한 실전 받아쓰기

3단계 A, B / 2권

4단계 A, B / 2권

3~4단계

***권장 대상:** 초등 3학년 ~ 초등 4학년
어휘력이 필요한 초등 2학년

- 마인드맵, 꼬리물기 어휘 학습
- 주제 어휘, 알쏭 어휘, 교과 어휘, 한자 어휘 중심
- 어휘의 관계를 중심으로 말의 감각을 키워 주는 어휘 전문 교재

5단계 A, B / 2권

6단계 A, B / 2권

5~6단계

***권장 대상:** 초등 5학년 ~ 초등 6학년
어휘력이 필요한 초등 4학년

- 해시태그(#) 유사 어휘 퀴즈 학습
- 생활 어휘, 교과 어휘, 한자 어휘 중심
- 속담, 관용어, 사자성어를 중심으로 어휘의 폭을 넓혀 주는, 고학년 어휘 전문 교재

똑 똑 한

하루 어휘

160여 개의 어휘를 공부해요!

하루하루 공부할 어휘와 차례

똑똑한 하루 어휘 ★6단계 B★

하루에 배우는 대표적인 어휘를 차례대로 정리했어요.
똑똑한 하루 어휘 6단계 B에서는 차례에 나온 어휘를 포함해서
총 160여 개의 어휘와 속담 등을 공부해요!
(172쪽 어휘 모음 참고)

똑똑한 하루 어휘

어휘 공부, 무엇이 중요할까?

> '차이'와 '차별'은 어떤 차이가 있을까?
> '다른 것'과 '틀린 것'은 어떻게 구분할까?
> '주식', '간식', '별식'의 기준은 무엇일까?

우리말을 아무런 불편 없이 사용하고 있지만 위와 같은 질문에 정확하게 대답하기는 쉽지 않아요. 입으로는 어휘를 구사하지만 어휘에 대한 정확한 감각이 숙련되어 있지 않기 때문이에요. '차별'은 '차이'를 이유로 '다르게 대하는 것'이에요. 이것을 이해하면 '차이'는 단지 '다름'을 뜻하지만 '차별'은 사람과의 관계나 대상과 대상 사이에서 일어나는 어떤 현상을 말하는 것임을 알 수 있어요.

똑똑한 하루 어휘 5·6단계 어휘 이해 과정

의미 구분을 통해 어휘의 감각 키우기

'차이'와 '차별'은 어떤 차이가 있을까?

그림에서 제시하는 상황은 차이일까? 차별일까?

이어지는 해시태그를 보니
#구별 #다르게_대우 #싫어요 #남녀○○
아하! 이건 '차별'이로군!

어휘에 대한 감각, 어떻게 키워야 할까요?

어휘의 사전적인 정확한 정의는 몰라도 다른 낱말과의 관계나 사용 예를 통해서 그 뜻을 보다 정확히 이해하고 구분 짓는, 말에 대한 추리력이 어휘에 대한 감각이에요.

어휘에 대한 감각을 키우려면 그 어휘에 대해 보다 깊이 이해하고자 하는 탐구심과 호기심이 있어야 해요. 일상에서 흔히 쓰는 말이라도 다른 어휘와의 관계를 통해 그 뜻을 정확히 구분지어 보려는 의지가 있어야 어휘에 대한 감각이 자라요.

똑똑한 하루 어휘 5, 6단계는 고학년 학생들의 어휘 감각을 길러 주기 위해 유사 어휘와 속담, 관용어, 사자성어를 중심으로 구성하였어요. 어휘의 차이, 어휘의 숨은 의미에 대해 퀴즈를 풀고, 만화처럼 읽다 보면 나도 모르게 어휘에 대한 감각이 차곡차곡 쌓일 거예요.

속뜻을 찾으며 어휘의 감각 키우기

'작심삼일'은 무슨 말일까?

똑똑한 하루 어휘

어떤 어휘를 배우나요?

똑똑한 하루 어휘 5,6단계는 크게 네 가지 성격의 어휘를 배워요.
말의 차이를 배우면서 어휘에 대한 감각을 키워 주는 유사 어휘, 어휘의 숨은 의미를 찾아보는 속담, 의미가 확장되어 쓰이는 관용어, 한자어에 대한 이해를 도와줄 사자성어까지!
해시태그 퀴즈와 재미있는 만화가 여러분의 어휘 공부를 재미있게 도와줄 거예요!

유사 어휘

의미 차이를 알면 어휘에 대한 감각이 늘어요!

냉철하다 / 냉정하다

- 말의 재미를 붙여 주는 어휘 학습
- 어휘 해시태그를 통해 어휘의 의미 짐작하기
- 자주 쓰지만 정확히 모르는 어휘 배우기

관용어

관용어를 통해 의미 확장에 대한 감각을 키워요!

얼굴에 씌어 있다

- 배운 어휘가 들어간 관용 표현 익히기
- 어휘와 관용 표현의 관계 이해하기

똑똑한 하루 어휘를 함께할 친구들

꿀벌족

지구의 깊은 밀림 어딘가에 사는 특별한 종족이에요. 호기심이 무척 많은 꿀벌족 삼 남매는 대책 없는 개구쟁이들지요. 셋이 더듬이를 맞대고 재미있는 곳을 떠올렸더니 차원의 문을 통해 한국에 오게 되었어요. 솔이와 봄이를 만나 어떤 일들을 겪게 될까요?

속담

재미있는 속담을 통해 어휘 활용의 감각을 키워요!

한 귀로 듣고 한 귀로 흘린다

- 어휘가 갖는 비유, 상징 배우기
- 속담에 쓰인 고유어 알기
- 속담 활용 예를 통해 자연스러운 어휘 구사 익히기

사자성어

사자성어를 통해 한자어에 대한 감각을 키워요!

등화가친

- 한자와 어휘의 관계 이해하기
- 비슷한 사자성어의 의미 구분하기
- 적절한 사자성어 활용하기

1주에는 무엇을 공부할까? 1

1일 국어 > 태도

냉철하다 / 냉정하다
단호하다 / 단언하다
명랑하다 / 맹랑하다
비겁하다 / 치사하다

속담 호랑이에게 물려가도 정신만 차리면 산다 / 여우를 피해서 호랑이 만났다
벼룩의 간을 내먹는다 / 벼룩의 등에 육간대청을 짓겠다

2일 생활 > 얼굴

미간 / 관자놀이
눈꼬리 / 눈시울
인중 / 보조개
콧방울 / 콧대

속담 귀에 걸면 귀걸이 코에 걸면 코걸이 / 한 귀로 듣고 한 귀로 흘린다
사자성어 안하무인 / 괄목상대

3일 과학 > 불

연소 / 소화
점화 / 점등
가연성 / 불연성
인화점 / 발화점

속담 불난 집에 부채질 / 겨울 화롯불은 어머니보다 낫다
사자성어 등화가친 / 명약관화

4일 생활 > 주다

보상 / 보답
기부 / 기증
증정 / 제공
수여 / 부여

속담 미운 놈 떡 하나 더 준다 / 떡 줄 사람은 꿈도 안 꾸는데 김칫국부터 마신다
되로 주고 말로 받는다 / 병 주고 약 준다

5일 사회 > 과거 직업

백정 / 갖바치
거간꾼 / 보부상
마름 / 아전
객주 / 사공

속담 미련한 송아지 백정을 모른다 / 갖바치 내일 모레
나도 사또 너도 사또, 아전 노릇은 누가 하느냐 / 사공이 많으면 배가 산으로 간다

'얼굴 가죽이 두껍다'는
무슨 뜻일까?

1주 1주에는 무엇을 공부할까? 2

냉철하다

냉정하다

*냉철하다: 이성적이다.
*냉정하다: 마음이 차갑다.

냉철하다와 냉정하다는 어떻게 다를까요?

1 다음 중 '냉정하다'에 어울리는 친구는?

수연	재희	진태
저는 실패한 원인을 알아내서 같은 실수를 반복하지 않도록 노력합니다.	저는 친한 친구가 아무리 사정을 해도 도와주는 경우가 별로 없습니다.	저는 아무리 화가 나는 일이 있어도 잘 참았다가 차분하게 얘기하는 편입니다.

(　　　　　　　　)

점화

점등

*점화: 불을 켜다.
*점등: 등을 켜다.

점화와 점등의 차이는 무엇일까요?

2 점화, 점등에 어울리는 물건을 구분하여 써넣으시오.

보기
성냥, 형광등
손전등, 가스레인지

(1) 점화	(2) 점등

보상
보답

*보상: 손해를 갚음.
*보답: 은혜를 갚음.

보상과 보답은 무엇이 다를까요?

3 밑줄 그은 말의 쓰임이 알맞지 않은 것은? ( )

① 빚 보상보다 사과가 우선이다.
② 내가 잘못했으니 꼭 보답해 줄게.
③ 도와준 보답으로 콜라를 사 주었다.

미운 놈 떡 하나 더 준다

*미운 사람일수록 잘해 주어야 한다는 말.

왜 미운 놈 떡 하나 더 준다고 하였을까요?

4 "미운 놈 떡 하나 더 준다"의 뜻으로 알맞은 것은? ( )

① 사람을 미워하면 안 된다.
② 미운 사람에게 더 잘해 주지 마라.
③ 미운 사람일수록 나쁜 감정을 쌓을 필요는 없다.

#태도

Q. 그림과 이어지는 해시태그(#)를 보고 알맞은 어휘를 골라 □에 V표 하시오.

①

②

③

④

정답 ① 냉정하다 ② 단언하다 ③ 명랑하다 ④ 치사하다

① **냉철하다**

생각이나 판단을 할 때 감정에 휘둘리지 않고 침착하다.

예 감독의 냉철한 판단으로 팀이 이길 수 있었다.

냉정하다

태도가 정답지 않고 차갑다. 유의어 냉담하다, 냉랭하다

예 친구가 부탁을 다 듣기도 전에 냉정한 얼굴로 대답하였다.

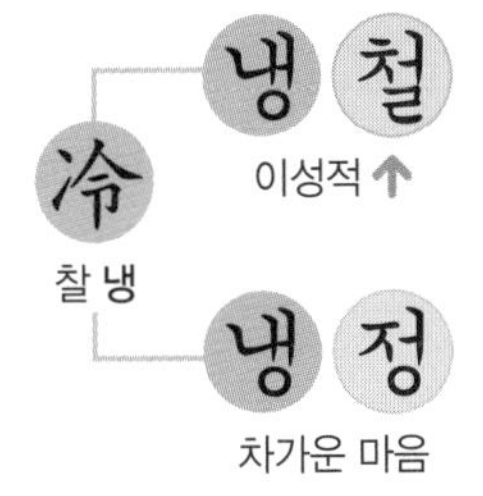

② **단호하다**

태도나 입장, 마음먹은 것이 엄격하다.

예 정부는 실내에서 마스크를 꼭 쓰라고 단호하게 대처하였다.

단언하다

머뭇거리거나 망설이지 않고 딱 잘라 말하다.

예 나는 누나의 다이어트가 실패할 것이라고 단언하였다.

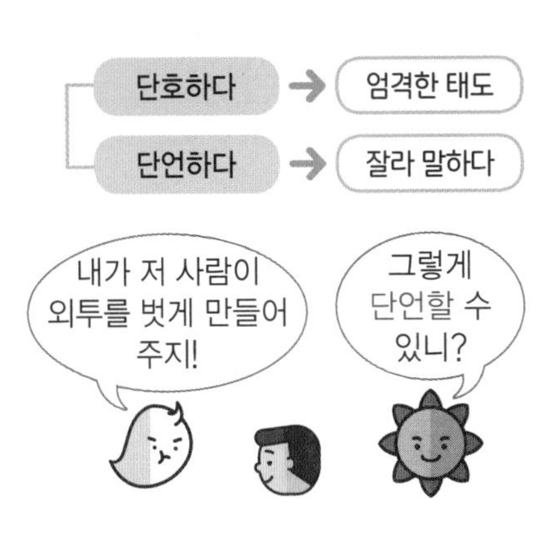

③ **명랑하다**

유쾌하고 활발하다.

예 내 친구는 명랑한 성격이라 그런지 늘 웃는다.

맹랑하다

하는 짓이 만만히 볼 수 없을 만큼 똘똘하고 깜찍하다.

예 동생이 심부름을 할 때마다 용돈을 달라고 하니 참 맹랑한 아이이다.

Tip_
'명랑하다'는 밝은 성격인 사람에게, '맹랑하다'는 어린 데도 하는 짓이 어른 못지않을 때 쓰는 말.

④ **비겁하다**

속이 좁고 겁이 많다.

예 그것은 비겁한 변명입니다.

치사하다

재물을 아끼는 태도가 지나쳐 남부끄럽다.

예 떡볶이 가지고 너무 치사하게 굴지 말자.

내가 조금 괴롭혔다고 도망가는 녀석은 비겁해! 뭐, 내가 치사하다고?

#태도 #속담

Q. 그림과 이어지는 해시태그(#)를 보고 알맞은 속담을 골라 ☐에 V표 하시오.

호랑이에게 물려 가도 정신만 차리면 산다 ☐ / 여우를 피해서 호랑이를 만났다 ☐

#태도 #정신_바짝 #냉정하게 #포기하지_마! #포기하는_순간_끝

호랑이에게 물려 가도 정신만 차리면 산다

아무리 위급한 경우를 당하더라도 정신만 똑똑히 차리면 위기를 벗어날 수가 있다는 말.

호랑이에게 물려 가도 정신만 차리면 산다
- 호랑이에게 물려 가도 → 목숨을 잃을 수도 있는 상황
- 정신만 차리면 산다 → 정신을 똑똑히 차리는 태도

여우를 피해서 호랑이를 만났다

갈수록 더욱더 힘든 일을 당함을 비유적으로 이르는 말.

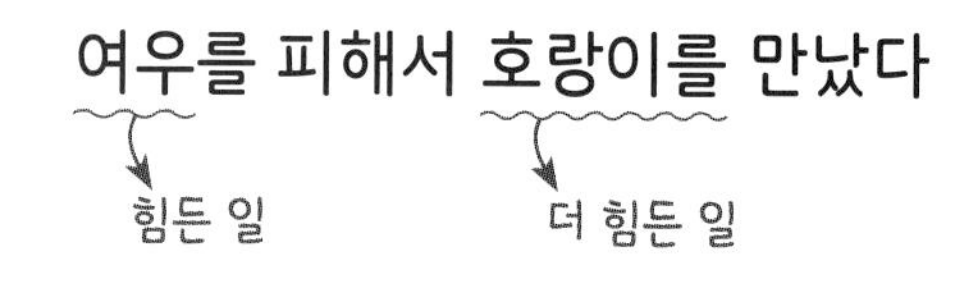

여우를 피해서 호랑이를 만났다
- 여우 → 힘든 일
- 호랑이 → 더 힘든 일

비슷한 뜻의 사자성어

 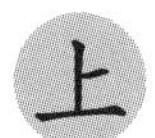  

雪 上 加 霜
눈 설 / 윗 상 / 더할 가 / 서리 상

설상가상

눈 위에 서리가 덮인다는 뜻으로, 난처한 일이나 불행한 일이 잇따라 일어남을 이르는 말.

정답 호랑이에게 물려가도 정신만 차리면 산다

#태도 #속담

Q. 그림과 이어지는 해시태그(#)를 보고 알맞은 속담을 골라 ☐에 V표 하시오.

벼룩의 간을 내먹는다 ☐ / 벼룩의 등에 육간대청을 짓겠다 ☐

#태도 #뻔뻔 #탐욕_그_자체 #있는_사람이_더_한다더니 #욕심쟁이

벼룩의 간을 내먹는다

하는 짓이 몹시 치사하거나 돈을 지나치게 아끼려고만 하는 것을 비유적으로 이르는 말.

벼룩의 간을 내먹는다
- 벼룩의 간: 작은 존재, 가난한 사람의 소중한 것 등
- 내먹는다: 빼앗을 만큼 욕심이 많다

'벼룩'이 들어간 다른 속담

뛰어야 벼룩

도망쳐 보아야 크게 벗어날 수 없다는 말.

벼룩도 낯짝이 있다

매우 작은 벼룩조차도 낯짝이 있는데 하물며 사람이 체면이 없어서야 되겠느냐는 말.

벼룩의 등에 육간대청을 짓겠다

벼룩의 좁은 등에 여섯 칸이나 되는 넓은 마루를 짓겠다는 뜻으로, 하는 일이 이치에 맞지 않고 생각의 깊이가 얕음을 비유적으로 이르는 말.

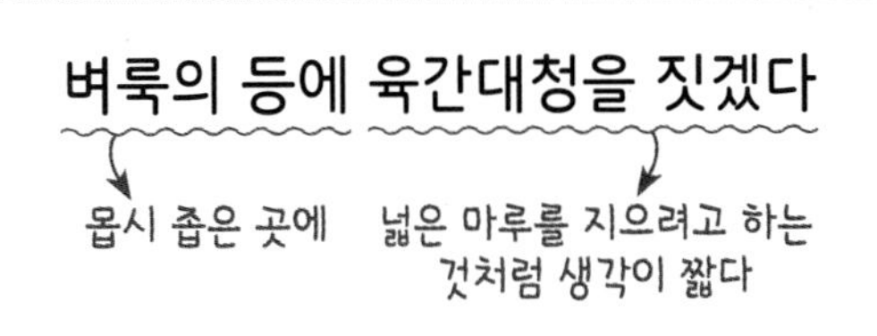

육간대청이란?

정답 벼룩의 간을 내먹는다

1 빈칸에 알맞은 말을 보기 에서 골라 쓰시오.

보기			
냉정	명랑	냉철	맹랑

(1) 오늘 전학 온 아이는 잘 웃지는 않지만 생각보다 ☐☐하고 밝은 아이였다.

(2) 친구에게 게임기를 빌려 달라고 아무리 애원해도 ☐☐하게 거절할 뿐이었다.

(3) 감독은 경기가 끝나기 1분 전에 ☐☐한 판단으로 훌륭한 작전을 생각해 냈다.

(4) 내 친구네 동생은 참 ☐☐한 아이 같아. 유치원에 다니는데 벌써 여자 친구가 생겼대.

2 다음 문장의 밑줄 그은 부분을 대신할 수 있는 낱말을 쓰시오.

> 우진이가 (1) <u>딱 잘라 말하더라</u>. (2) <u>자꾸 돈 가지고 쩨쩨하게 굴면</u> 더 이상 친구하고 싶지 않대.

(1) ☐☐하더라　　　　(2) ☐☐하게 굴면

3 '비겁하다'의 뜻으로 가장 알맞은 것은 어느 것입니까? ………… (　　　)

① 유쾌하고 활발하다.
② 속이 좁고 겁이 많다.
③ 태도나 입장이 엄격하다.
④ 재물을 아끼는 태도가 지나치다.
⑤ 머뭇거리거나 망설이지 않고 딱 잘라 말하다.

4 (　) 안의 알맞은 말에 ○표 하시오.

(1) 이 문제를 해결하기 위해서는 (단호한 / 단언한) 태도가 필요합니다.

(2) 동생에게 밝고 (명랑한 / 맹랑한) 내용의 그림책을 읽어 주었습니다.

(3) 저렇게 사과하는데도 계속 무시하는 건 너무 (냉철한 / 냉정한) 것 아니니?

(4) 부끄럽더라도 (비겁하게 / 치사하게) 도망가지 말고 제대로 사과하는 게 좋겠어.

5 '냉정하다'와 어울리는 날씨에 ○표 하시오.

(1) 
( )

(2) 
( )

(3) 
( )

6 다음 이야기에서 재원이가 형에게 말할 수 있는 속담은 어느 것입니까? ( )

학원을 마치고 집에 돌아오니 온통 치킨 냄새가 진동을 했다. 큰형이 나를 기다려 주지도 않고 혼자 치킨 한 마리를 다 먹은 것이다. 나는 몹시 억울했지만 내색하지 않았다.

"아이고, 배부르다. 재원이 이제 들어왔냐?"

"집에 뭐 먹을 것 없어?"

"먹을 게 없으니 치킨 시켜 먹으라고 용돈 주고 모임 가셨겠지?"

"나는 라면이나 먹을래."

퉁명스럽게 대꾸한 뒤 책가방을 벗어던지고 냄비에 물을 받았다. 물 양이 맞는지 틀린지도 모른 채 어서 끓기만 바랐다.

"라면 먹을 거면 지금 말해. 2개 끓이게."

"아니야, 형은 배불러서 괜찮아."

저러고선 또 한 입만 달라고 그러겠지. 큰형은 늘 그랬으니까. 집 안의 치킨 냄새가 라면 냄새로 점점 지워져 갔다. 다 끓은 라면을 식탁에 놓고 나니, 입에 저절로 침이 고이기 시작했다. 옳지, 김치도 좀 꺼내고, 냉장고에서 찬밥도 꺼내고……. 그런데 내 라면 앞에 앉은 저 사람은 누구야?

"야, 안되겠다. 냄새가 너무 반칙이다. 나 한 입만 먹을게."

"형, 그래서 내가 아까 물어봤잖아!"

① 벼룩의 간을 내먹는다
② 여우를 피해서 호랑이 만났다
③ 벼룩의 등에 육간대청을 짓겠다
④ 호랑이에게 물려 가도 정신만 차리면 산다
⑤ 사람은 죽으면 이름을 남기고 범은 죽으면 가죽을 남긴다

7 다음 속담과 관련 있는 설명을 선으로 이으시오.

(1) 벼룩의 등에 육간대청을 짓겠다. •

(2) 호랑이에게 물려 가도 정신만 차리면 산다. •

• ① 갈수록 더 힘든 일을 당한다.

• ② 아무리 위급한 경우에도 정신을 차려야 한다.

• ③ 하는 일이 이치에 맞지 않고 생각의 깊이가 얕다.

#얼굴

Q. 그림과 이어지는 해시태그(#)를 보고 알맞은 어휘를 골라 □에 V표 하시오.

① 미간 □ / 관자놀이 □

#얼굴 #가운데 #눈썹과_눈썹_사이
#찡그리지_마세요

② 눈꼬리 □ / 눈시울 □

#얼굴 #속눈썹이_있는 #뜨거워짐
#붉어지기도 #그렁그렁

③ 인중 □ / 보조개 □

#얼굴 #볼우물 #웃을_때 #패이는_것
#보조견_아님

④ 콧방울 □ / 콧대 □

#얼굴 #코의_줄기 #이것이_높으면
#우쭐우쭐 #거만한_사람

정답 ① 미간 ② 눈시울 ③ 보조개 ④ 콧대

① **미간**

눈썹과 눈썹 사이.

예 방귀 냄새가 나서 미간을 찡그렸다.

관자놀이

귀와 눈 사이의 맥박이 뛰는 곳.

예 머리가 아파서 관자놀이를 문질렀다.

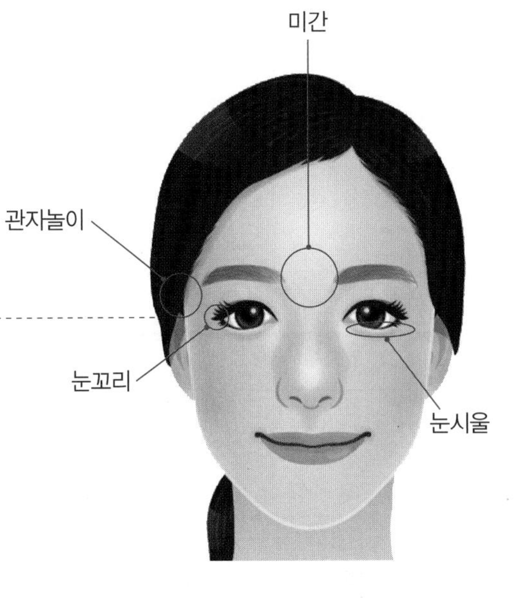

② **눈꼬리**

귀 쪽으로 가늘게 좁혀진 눈의 가장자리.

예 고양이의 눈꼬리는 위로 올라가 있다.

눈시울

눈언저리의 속눈썹이 난 곳.

예 눈시울에 눈물이 고였다.

③ **인중**

코와 윗입술 사이에 오목하게 골이 진 곳.

예 콧물을 자꾸 닦아서 인중이 빨개졌다.

보조개

말하거나 웃을 때에 볼에 움푹 들어가는 자국.

예 누나는 웃을 때마다 오른쪽 볼에 보조개가 생긴다.

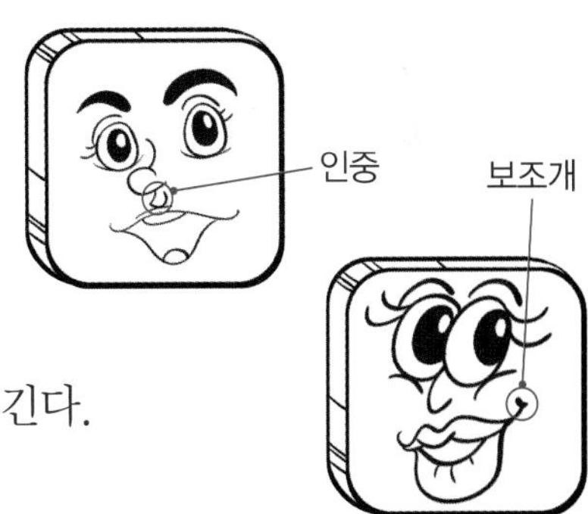

④ **콧방울**

코끝 양쪽으로 둥글게 방울처럼 내민 부분.

예 콧방울에 파리가 앉았다.

콧대

콧등의 우뚝한 줄기.

예 서양 사람은 콧대가 더 높고 길쭉합니다.

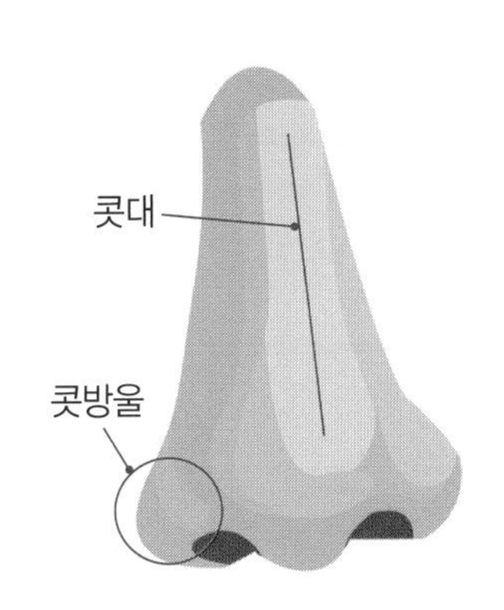

#얼굴 #속담

Q. 그림과 이어지는 해시태그(#)를 보고 알맞은 속담을 골라 ▢에 V표 하시오.

귀에 걸면 귀걸이 코에 걸면 코걸이 ▢ / 한 귀로 듣고 한 귀로 흘린다 ▢

#얼굴 #한쪽은_입구_다른_쪽은_출구 #사오정 #경청이_필요해 #때로는_일부러_흘리기도

귀에 걸면 귀걸이 코에 걸면 코걸이

어떤 원칙이 정해져 있는 것이 아니라 둘러대기에 따라 이렇게도 되고 저렇게도 될 수 있음.

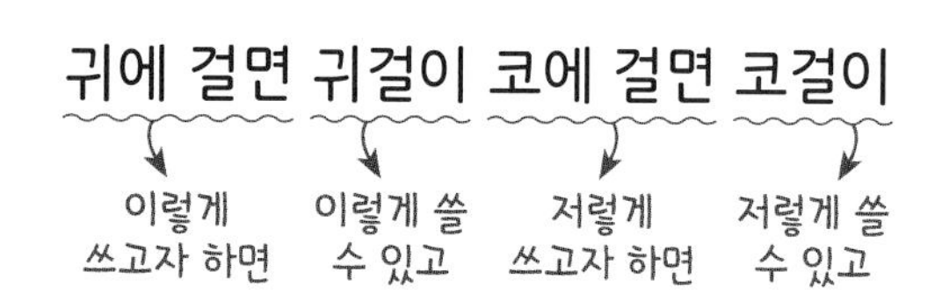

한 귀로 듣고 한 귀로 흘린다

남이 한 말을 제대로 귀담아듣지 아니한다는 뜻의 속담.

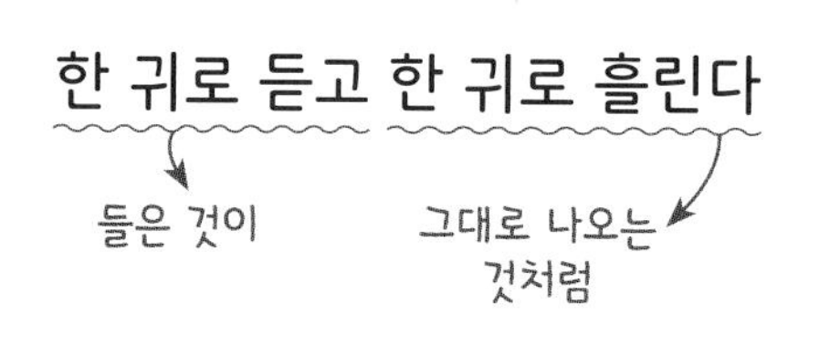

반대의 경우에 쓸 수 있는 관용어

귀가 얇다

남의 말을 쉽게 받아들인다.

(예) 너 그렇게 귀가 얇아서 어떻게 할래?

이제 아무도 안 믿을거야!

정답 한 귀로 듣고 한 귀로 흘린다

#얼굴 #사자성어

Q. 그림과 이어지는 해시태그(#)를 보고 알맞은 사자성어를 골라 ☐에 V표 하시오.

안하무인

눈 아래에 사람이 없다는 뜻으로, 무례하고 건방져서 다른 사람을 몹시 무시하는 것을 이르는 말.

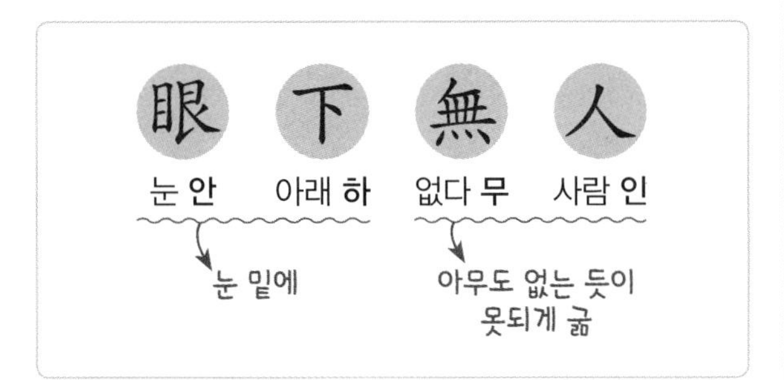

비슷한 뜻의 사자성어

안중무인

아무도 보지 못할 정도로 남을 무시함.

괄목상대

눈을 비비고 상대편을 본다는 뜻으로, 남의 학식이나 재주가 놀랄 만큼 늘어난 것을 이르는 말.

참고 어휘

괄목하다

눈을 비비고 볼 정도로 매우 놀라다.

예 우리나라는 짧은 기간에 괄목할 만한 경제 성장을 이루었다.

정답 괄목상대

1 '미간'에 대한 설명으로 가장 알맞은 것은 어느 것입니까? ( )

① 턱 아래에 있다.
② 눈썹과 눈썹 사이이다.
③ 속눈썹이 있는 부분이다.
④ 볼에 움푹 파인 모양으로 생겼다.
⑤ 눈과 귀 사이에 있는 옆머리이다.

2 ( ) 안의 알맞은 말에 ○표 하시오.

(1) 권투 경기에서 머리의 (보조개 / 관자놀이)는 급소에 해당합니다.
(2) 우리 집 고양이는 (눈꼬리 / 보조개)가 아래로 처져 있어서 더 귀엽습니다.
(3) 화장실 청소를 할 때 (인중 / 눈시울)에 치약을 발랐더니 냄새가 덜 났습니다.
(4) 땀이 많이 나자 안경이 (콧대 / 콧방울) 근처까지 내려가서 벗겨질 뻔했습니다.

3 그림에 표시된 부분을 무엇이라고 부르는지 알맞은 낱말에 ○표 하시오.

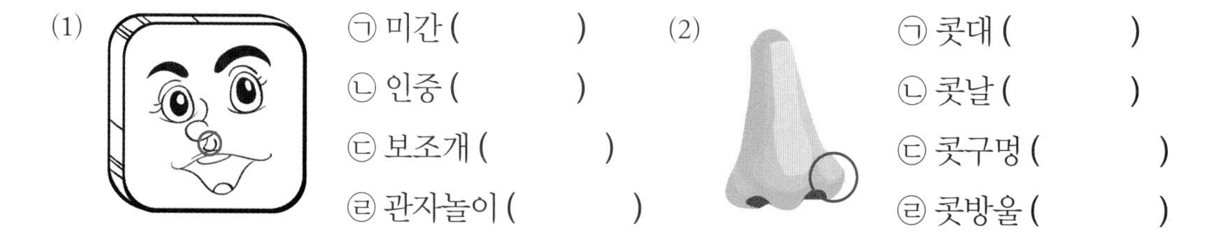

(1)
㉠ 미간 ( )
㉡ 인중 ( )
㉢ 보조개 ( )
㉣ 관자놀이 ( )

(2)
㉠ 콧대 ( )
㉡ 콧날 ( )
㉢ 콧구멍 ( )
㉣ 콧방울 ( )

4 다음 낱말이 얼굴의 어느 부분에 해당하는지 기호를 쓰시오.

(1) 관자놀이 ( )
(2) 눈꼬리 ( )
(3) 눈시울 ( )
(4) 인중 ( )
(5) 미간 ( )

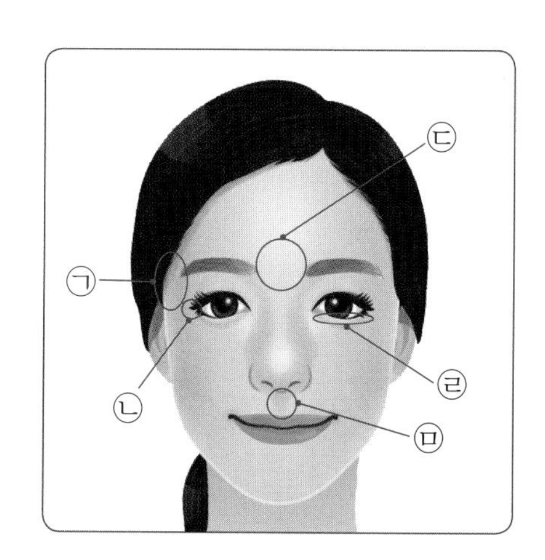

5 **다음 이야기에서 떠올릴 수 있는 사자성어는 무엇입니까?** ( )

(가) 오늘도 졌다. 장기는 내가 먼저 배웠는데…….
어떻게 하면 재연이를 이길 수 있을까? 나는 상대가 내 생각대로 움직이지 않으면 적잖이 당황하는 것 같다. 그렇게 한 수 두 수 내 뜻대로 두지 못하면 순식간에 무너진다. 작은아버지께서 장기를 그렇게 잘 두신다는데 배우러 가 보고 싶은 마음도 든다. 방학을 하면 시골에 계신 작은아버지 댁에 가자고 졸라야겠다. 방학까지는 한 달이 남았다.

(나) "이게 어떻게 된 거야?"
"헤헤, 드디어 내가 이겼구나. 재연아 우니?"
"평소에 내가 상대하던 사람이 아닌 것 같던데?"
"방학 동안에 특훈 좀 했지. 매일 너한테 지던 그 사람이 아니란 말씀."
"야, 정말 다시 봤다. 앞으로는 나도 긴장 좀 해야겠다."
"앞으로 나 이기려면 너도 고생 좀 할걸?"
드디어 장기로 재연이를 이겼다. 작은아버지와 두었던 수많은 장기 연습에 비하면 오늘은 좀 싱거웠다. 내가 잘하게 된 건지, 재연이 실력이 나빠진 건지……. 오늘 이겼다고 안심하기는 이르다. 아무래도 오늘은 재연이가 좀 방심한 것도 같으니까. 이따가 작은아버지께 감사하다고 전화라도 드려야겠다.

① 새옹지마 ② 아전인수 ③ 괄목상대 ④ 안하무인 ⑤ 불구대천

6 **다음 속담과 관련 있는 설명을 선으로 이으시오.**

(1) 한 귀로 듣고 한 귀로 흘린다. •

(2) 귀에 걸면 귀걸이 코에 걸면 코걸이 •

• ① 남의 말을 귀담아 듣지 않는다.

• ② 말은 어디로 퍼질지 모르니 조심해야 한다.

• ③ 원칙이 정해져 있지 않아서 경우에 따라 다르다.

7 **다음 빈칸에 들어갈 사자성어는 무엇입니까?** ( )

지훈: 아까 식당에서 그 사람 정말 [ ]이지 않았어?
유정: 맞아. 아무리 손님이어도 식당에서 일하시는 분을 그렇게 무시하면 안 되지.
지훈: 막무가내로 우기는 손님 앞에서도 끝까지 미소 짓던 분 정말 대단하더라.
유정: 내가 사장이었으면 그런 무례한 손님은 당장 내쫓았을 거야.
지훈: 계속 화만 내다가 제 발로 나갔으니 다행이지.

① 일거양득 ② 절차탁마 ③ 오비이락 ④ 구사일생 ⑤ 안하무인

#불

Q. 그림과 이어지는 해시태그(#)를 보고 알맞은 어휘를 골라 □에 V표 하시오.

① 연소 □ / 소화 □

#불 #끄기 #이산화_탄소가_필요해 #소방관 #바람_조심 #119_불러

② 점화 □ / 점등 □

#불 #성냥 #라이터 #불로_점_찍기 #○○_플러그 #부싯돌

③ 가연성 □ / 불연성 □

#불 #잘_타는 #불조심 #화기엄금 #불에_탈_가능성

④ 인화점 □ / 발화점 □

#불 #타기_시작하는_온도 #시작된_지점 #소방관 #화재_현장 #화재의_원인

정답 ① 소화 ② 점화 ③ 가연성 ④ 발화점

① 연소 / 소화

연소

물질이 산소를 만나 많은 열과 빛을 내며 타는 것.

예 보일러의 연소 장치가 고장 났다.

燃 燒 (태울 연 태울 소) → 불(火)에 타는 것

소화

불을 끄는 것. 반의어 방화

예 소방서에서 소화기 사용 방법을 배웠다.

消 火 (꺼질 소 불 화) → 불(火)을 끄는 것

---

② 점화 / 점등

점화

불을 붙이거나 켜는 것. 유의어 착화

예 폭죽을 쏘려고 점화하였다.

점등

등에 불을 켬. 반의어 소등

예 점등 스위치를 눌렀다.

점화 → 불을 붙임.

점등 → 등불을 켬.

---

③ 가연성 / 불연성

가연성

불에 잘 탈 수 있거나 타기 쉬운 성질.

예 휘발유는 가연성 물질이라 위험하다.

불연성

불에 타지 않는 성질.

예 전철 내부는 불연성 재료를 주로 사용한다.

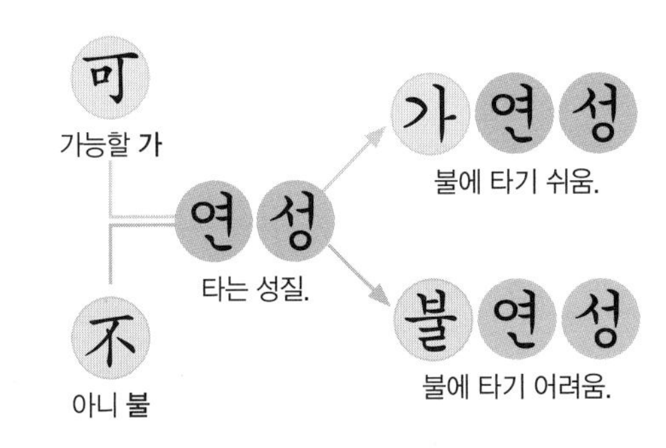

---

④ 인화점 / 발화점

인화점

기름 같은 물질이 작은 불꽃에 의하여 불이 붙는 가장 낮은 온도.

예 주유소에는 인화점이 낮은 물질들이 많으므로 특히 불조심을 해야 한다.

발화점

어떤 물질을 가열할 때 스스로 불이 붙어 타기 시작하는 가장 낮은 온도.

예 나무는 고무보다 발화점이 높습니다.

인화점이나 발화점이 낮은 물질은 그만큼 쉽게 불이 붙기 때문에 조심해야 해요!

#불 #속담

Q. 그림과 이어지는 해시태그(#)를 보고 알맞은 속담을 골라 ▢에 V표 하시오.

불난 집에 부채질한다 ▢ / 겨울 화롯불은 어머니보다 낫다 ▢

#과학 #불 #화를_더_키우는 #바람은_불을_크게 #화재_신고는_119

불난 집에 부채질한다

남에게 일어난 안 좋은 일을 점점 더 커지도록 만들거나 성난 사람을 더욱 성나게 함을 비유적으로 이르는 말.

불난 집에 부채질한다
- 불난 집에 → 안 좋은 일을 (화난 사람을)
- 부채질한다 → 더 크게 만든다 (더 화나게 한다)

겨울 화롯불은 어머니보다 낫다

추운 겨울에는 따뜻한 것이 제일 좋음을 이르는 말.

겨울 화롯불은 어머니보다 낫다
- 겨울 → 추울 때에
- 화롯불은 → 따뜻한 불은
- 어머니보다 낫다 → 어머니의 품보다 따뜻하다

▲ 화롯불

정답 불난 집에 부채질한다

#불 #사자성어

Q. 그림과 이어지는 해시태그(#)를 보고 알맞은 사자성어를 골라 ☐에 V표 하시오.

등화가친

등불을 가까이할 만하다는 뜻으로, 서늘한 가을밤은 등불을 켜고 글 읽기에 좋음을 이르는 말.

관련된 사자성어

형설지공

반딧불·눈과 함께 하는 노력이라는 뜻으로, 고생을 하면서 부지런하고 꾸준하게 공부하는 자세를 이르는 말.

명약관화

불을 보는 것처럼 밝다는 말로, 매우 분명하고 뻔하다는 뜻을 나타냄.

비슷한 뜻의 관용어

불(을) 보듯 뻔하다

예 그렇게 운동을 안 하니 건강이 나빠질 것이 불 보듯 뻔하다.

정답 등화가친

1 빈칸에 알맞은 말을 보기에서 골라 쓰시오.

보기

발화점 점등 가연성 점화

(1) 올림픽이 열리는 도시까지 봉송할 성화를 □□하였다.

(2) 시청 광장 근처에서 크리스마스 트리를 □□하는 행사가 열렸다.

(3) □□□이 높은 물건들이 많은 곳에는 소화기를 비치해 두어야 한다.

(4) □□□이 더 높은 물질은 발화점이 더 낮은 물질보다 불이 늦게 붙는다.

2 다음 문장의 밑줄 그은 부분을 대신할 수 있는 낱말을 쓰시오.

학원에 다녀와서 집에 도착하자마자 형광등을 (1)켰다. 배가 고파서 라면을 끓여 먹기로 했다. 냄비에 물을 받아 올려놓은 다음 가스레인지의 불을 (2)켰다. 그런데 집에 라면이 하나도 없어서 결국 가스레인지의 불을 다시 껐다.

(1) □□했다 (2) □□했다

3 기름 등의 물질이 작은 불꽃에 의하여 불이 붙는 가장 낮은 온도를 무엇이라고 합니까? ( )

① 발화점 ② 인화점 ③ 가연성 ④ 불연성 ⑤ 끓는점

4 ( ) 안의 알맞은 말에 ○표 하시오.

(1) 어떤 물질이 (연소 / 소화)되기 위해서는 산소가 꼭 필요하다.

(2) 화장실 문 앞의 (점화 / 점등) 스위치가 고장 나서 불을 켤 수 없었다.

(3) 이 건물은 (불연성 / 가연성) 재질을 주로 사용하여 대형 화재를 막기에 좋다.

5 다음 이야기에서 떠올릴 수 있는 속담은 어느 것입니까? ………………………………… (　　　)

(가) 하굣길에 우주를 오랜만에 마주쳤다. 계속 벼르고 있던 말을 힘들게 꺼냈다.
"우주야, 내가 빌려준 책 아직 다 못 읽었니?"
"아, 맞다. 깜빡하고 있었네. 거의 다 읽었어. 다음 주에 줘도 되지?"
"그래……. 난 네가 아주 까먹은 줄 알았어."
우주는 책을 빌려 간 지 두 달이 되어 가는데 나한테 조금도 미안하지 않나보다. 내가 정말 아끼는 책이라서 큰맘 먹고 빌려준 건데…….

(나) "연지야, 네가 빌려준 책 이거 맞지?"
"응? 책 표지가 없네? 어떻게 된 거야?"
"아, 냄비 받침으로 쓰다가 젖어서 뜯어졌나보다."
"뭐어라아고오? 이거 내가 아끼는 책이라고 했잖아! 너 정말 너무한 거 아니니?"
"새 책으로 사 주면 되지, 뭘 그리 화를 내고 그래? 별로 재미도 없던데……."
"참……."
나는 우주랑 더 얘기할 필요가 없겠다는 생각이 들었다. 남의 물건을 함부로 쓰는데다가 사과는커녕 오히려 내 화를 더 키우고만 있으니…….

① 불난 집에 부채질한다
② 달면 삼키고 쓰면 뱉는다
③ 겨울 화롯불은 어머니보다 낫다
④ 빈대 잡으려고 초가삼간 태운다
⑤ 구슬이 서 말이라도 꿰어야 보배

6 다음 사자성어의 알맞은 뜻을 선으로 이으시오.

(1) 등화가친 •
(2) 명약관화 •

• ① 매우 분명하고 뻔하다.
• ② 갈수록 더 힘든 일을 당한다.
• ③ 등불을 켜고 글 읽기에 좋다.

7 '등화가친'과 어울리는 물건에 ○표 하시오.

(1) 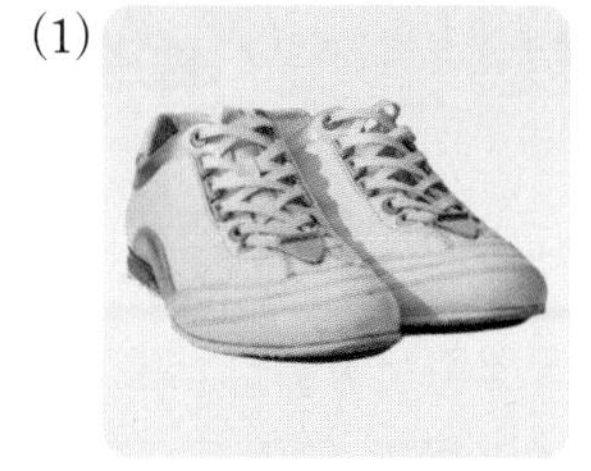
(　　)

(2) 
(　　)

(3) 
(　　)

(4) 
(　　)

#주다

Q. 그림과 이어지는 해시태그(#)를 보고 알맞은 어휘를 골라 ☐에 V표 하시오.

① 

② 

③ 

④ 

정답 ① 보상 ② 기부 ③ 증정 ④ 수여

1 주

① **보상**

남에게 빌린 것을 갚음. 어떤 것에 대한 대가를 줌.

예 금메달은 그동안의 고생에 대한 보상 같았다.

보답

남의 호의나 은혜를 갚음.

예 나는 아무런 보답을 바라지 않고 도와주었다.

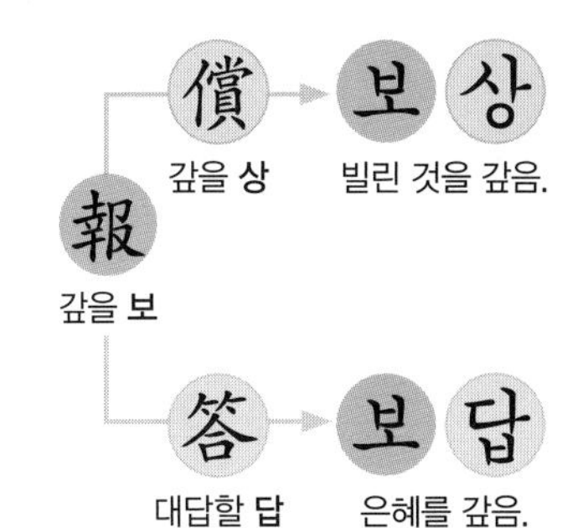

② **기부**

자선 사업이나 공공사업을 돕기 위하여 돈이나 물건 등을 대가 없이 내놓음.

예 연말에 어려운 사람들을 위해 기부를 하였다.

기증

선물이나 기념으로 남에게 물건을 거저 줌.

예 장기 기증에 대한 관심이 필요하다.

기부 → 자선의 뜻 (돈, 물건)

기증 → 선물의 뜻 (물건만)

장기 기부 ×
장기 기증 ○

③ **증정**

어떤 물건을 성의 표시나 축하 인사로 줌.

예 2개를 사시면 1개를 증정품으로 드립니다.

제공

무엇을 내주거나 가져다 바침.

예 성적이 높은 학생에게는 장학금을 제공한다.

Tip_
'증정'은 어떤 물건을 그냥 주는 것이고, '제공' 은 물건뿐만이 아닌 장소나 돈 등 여러 가지 중 하나를 주는 것.
예 무료 증정
예 장소 제공

④ **수여**

증서, 상장, 훈장 등을 줌.

예 팔씨름 대회 최우수상을 수여하겠습니다.

부여

사람에게 권리·명예·임무 등을 지니도록 해 주거나, 사물이나 일에 가치·의의 등을 붙여 줌.

예 사소한 것에 너무 큰 의미를 부여하지 말자.

수여 → 상이나 증서를 줌.

부여 → 의미를 붙여 줌.

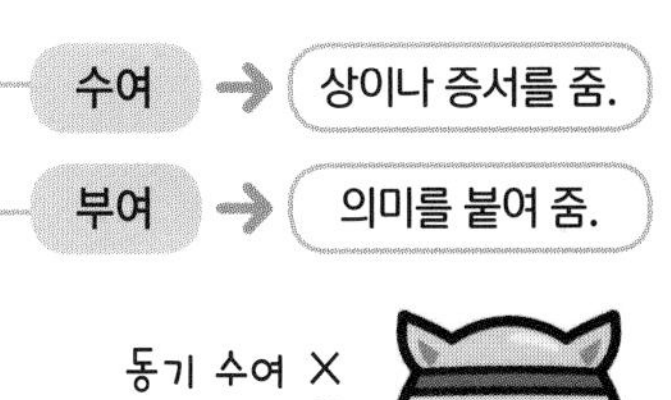

#주다 #떡 #속담

Q. 그림과 이어지는 해시태그(#)를 보고 알맞은 속담을 골라 ☐에 V표 하시오.

미운 놈 떡 하나 더 준다 ☐ / 떡 줄 사람은 꿈도 안 꾸는데 김칫국부터 마신다 ☐

#주다 #떡 #가만히_좀_있어라 #주려다가도_주기_싫어짐 #누가_준댔어?

미운 놈 떡 하나 더 준다

미운 사람일수록 잘해 주고 좋지 않은 감정을 쌓지 않아야 한다는 말.

미운 놈 떡 하나 더 준다
- 미운 놈 → 미워할 수록
- 떡 하나 더 준다 → 잘해 주어야 한다

떡 줄 사람은 꿈도 안 꾸는데 김칫국부터 마신다

해 줄 사람은 생각지도 않는데 미리부터 다 된 일로 알고 행동한다는 말.

떡 줄 사람은 꿈도 안 꾸는데
- → 줄 생각도 없는데

김칫국부터 마신다
- → 떡 먹을 생각부터 한다

정답 떡 줄 사람은 꿈도 안 꾸는데 김칫국부터 마신다

#주다 #속담

Q. 그림과 이어지는 해시태그(#)를 보고 알맞은 속담을 골라 ☐에 V표 하시오.

되로 주고 말로 받는다

조금 주고 그 대가로 몇 곱절이나 많이 받는 경우를 비유적으로 이르는 말.

되로 주고 말로 받는다
- 되: 한 되의 양=약 1.8리터
- 말: 한 말 = 열 되

병 주고 약 준다

남을 해치고 나서 약을 주며 그를 돕는 체한다는 뜻으로, 교활하고 음흉한 자의 행동을 비유적으로 이르는 말.

병 주고 약 준다
- 병 주고: 몰래 아프게 만들고
- 약 준다: 약을 주면서 착한 척한다

'병'과 관련된 다른 속담

병에는 장사 없다

아무리 장사라도 병에 걸리면 맥을 못 춤을 비유적으로 이르는 말.

예 병에는 장사 없다더니, 그 유도 선수도 독감에 걸려 입원했대.

정답 병 주고 약 준다

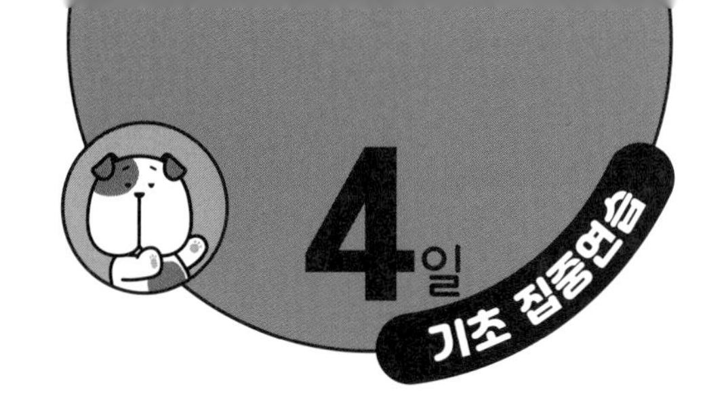

1 빈칸에 알맞은 말을 보기 에서 골라 쓰시오.

보기

보상 증정 보답 기부

(1) 내 숙제를 도와준 □□으로 친구에게 떡볶이를 사 주었다.

(2) 그 선수는 우승 상금 전액을 복지 단체에 □□하겠다고 밝혔다.

(3) 택배를 받았는데 사은품으로 □□한다던 물건이 들어 있지 않았다.

2 다음 문장의 빈칸에 들어갈 알맞은 말에 ○표 하시오.

교장 선생님께서 편찮으신 관계로 오늘은 교감 선생님께서 표창장을 대신 □□해 주시면 되겠습니다.

(수여 / 부여)

3 다음 중 '기증'을 잘못 사용한 표현은 어느 것입니까? ( )

① 복지 시설에 에어컨을 기증하고 싶습니다.

② 평생 모은 예술품들을 박물관에 모두 기증하였다.

③ 졸업생들 모임에서 학교에 마스크를 기증해 주었다.

④ 삼촌은 운전면허증에 장기 기증 신청자 스티커를 붙였다.

⑤ 연말을 맞아 우리 사회에서 소외된 계층을 위해 기증금을 내기로 하였다.

4 ( ) 안의 알맞은 말에 ○표 하시오.

(1) 적은 돈이라도 꾸준히 (기부 / 기증)하려고 노력하고 있습니다.

(2) 이 책은 의욕을 잃은 사람들에게 새로운 동기를 (수여 / 부여)해 줍니다.

(3) 오늘 점심 식사는 견학하는 시설에서 모두 (기증 / 제공)해 준다고 합니다.

(4) 어려울 때 도와준 친구에게 (보상 / 보답)하기 위해 꼭 성공하고 싶습니다.

5 다음 이야기에서 떠올릴 수 있는 속담은 어느 것입니까? ( )

갑자기 가족회의가 시작되었습니다. 아버지와 어머니, 언니, 그리고 저까지 네 명이 모이는 데에 30분이나 걸렸습니다. 언니는 심한 변비를 앓고 있기 때문입니다.

"갑자기 무슨 가족회의예요?"

언니가 배를 움켜 쥐고 물어보았습니다. 언니가 말을 끝내기도 전에 어머니가 대답하셨습니다.

"이 녀석을 어떻게 할지에 대해 회의를 해야겠구나."

아버지 발치에 놓인 폐지 상자에 아주 작고 귀여운 새끼 고양이가 고개만 빼꼼 내밀고 있었습니다. 너무 얌전해서 저는 순간 인형인 줄만 알았지요. 그 녀석은 우리 가족의 얼굴을 익히려는 듯 빤히 쳐다보기만 할 뿐, 야옹 소리도 내지 않았습니다.

"와, 고양이다!"

제가 흥분을 감추지 못하고 소리쳤습니다.

"예쁘게 생겼네. 길고양이인가 봐요?"

"허허, 글쎄 아빠 자동차 바퀴 위에 숨어 있더라고."

언니와 아버지 말소리는 제 귀에 들리지도 않았습니다. 우리 집에 새 가족이 생긴 거니까요. 이름은 뭘로 할지, 고양이 간식은 뭐가 좋을지 벌써부터 생각이 몽실몽실 커져 갔습니다.

"이름은 '달래'라고 지어요!"

내 목소리에 모두들 갑자기 조용해졌습니다.

"허허, 예나야. 우리 집에서 키울 수 있을지도 아직 모른단다."

"귀엽기는 한데……. 누군가 고양이 알레르기가 있을지도 모르고."

아버지와 언니는 저와 달리 몹시 차분해보였습니다. 저는 벌써 고양이랑 같이 지낼 생각만으로 가득했는데 아직 정해져 있지도 않은 것이었어요. 어떻게 하면 우리 가족 모두를 설득할 수 있을까요?

① 병 주고 약 준다
② 되로 주고 말로 받는다
③ 미운 놈 떡 하나 더 준다
④ 남의 손의 떡은 커 보인다
⑤ 떡 줄 사람은 꿈도 안 꾸는데 김칫국부터 마신다

6 다음 속담의 알맞은 뜻을 선으로 이으시오.

(1) 병 주고 약 준다 •

(2) 되로 주고 말로 받는다 •

• ① 아무리 급해도 천천히 해야 한다.

• ② 남을 해치고 나서 약을 주며 그를 돕는 체한다.

• ③ 잘 아는 일이라도 세심하게 주의를 기울여야 한다.

• ④ 조금 주고 그 대가로 몇 곱절이나 많이 받는 경우를 비유적으로 이르는 말.

#과거 직업

Q. 그림과 이어지는 해시태그(#)를 보고 알맞은 어휘를 골라 ☐에 V표 하시오.

① 백정 ☐ / 갖바치 ☐

#과거_직업 #가죽을_다루는 #맞춤_신발 #수제화 #받침에_주의

② 거간꾼 ☐ / 보부상 ☐

#과거_직업 #장사꾼 #전국을_돌며 #포대기에_싼_봇짐을_들고 #등짐을_메고

③ 마름 ☐ / 아전 ☐

#과거_직업 #여봐라_이방 #관아에서 #갓을_쓰고 #벼슬아치

④ 객주 ☐ / 사공 ☐

#과거_직업 #뱃사람 #노_젓기_능력자 #뱃삯 #너무_많으면_산으로_감

정답 ① 갖바치 ② 보부상 ③ 아전 ④ 사공

① 백정

소나 개, 돼지 따위를 잡는 일을 직업으로 하는 사람.

동의어 포정

예 과거에 백정은 사회적으로 차별을 받았다.

갖바치

예전에, 가죽신을 만드는 일을 직업으로 하던 사람.

동의어 주피장

예 갖바치 출신도 아닌데 손재주가 남다르구려?

과거		현재
백정	→	정육 업자
갖바치		구두 장인

② 거간꾼

사고파는 사람 사이에 흥정을 붙이는 일을 하는 사람.

동의어 어성꾼

예 솜씨 좋은 거간꾼을 만나 땅을 쉽게 팔았다.

보부상

봇짐 장수와 등짐 장수를 통틀어 이르는 말.

동의어 보부장사

예 보부상은 서로 간의 규율과 예절을 엄격히 지켰다.

거간꾼 → 흥정을 붙임.

보부상 → 돌아다니며 팜.

③ 마름

농사짓는 땅의 주인을 대신하여, 땅을 빌려 농사를 짓는 사람들에게 소작료를 받고 관리하는 사람.

예 땅 주인도 아닌 마름 주제에 너무한 것 아니오!

아전

조선 시대에 중앙과 지방 관아에서 일하던 공무원.

예 어느 고을의 아전은 사또보다도 탐욕스러웠다.

Tip

소작료란?

땅을 소유하지 못한 가난한 농부들은 땅을 빌려 농사를 짓고 일정한 돈을 '소작료'로 냄.

④ 객주

조선 시대에, 다른 지역에서 온 상인들의 거처를 제공하며 물건을 맡아 팔던 상인.

예 김만덕은 조선 시대의 객주로 유명했다.

사공

배를 부리는 일을 직업으로 하는 사람.

동의어 뱃사공

예 사공에게 뱃삯을 물으니 공짜라고 하였다.

▲ 사공

#과거 직업 #속담

Q. 그림과 이어지는 해시태그(#)를 보고 알맞은 속담을 골라 ☐에 V표 하시오.

미련한 송아지 백정을 모른다 ☐ / 갖바치 내일 모레 ☐

#과거_직업 #가죽_장인 #가죽신 #내일_아니면_모레 #도대체_언제_준다는_거야?

미련한 송아지 백정을 모른다

겪어 보지 않았거나 어리석어서 세상 이치에 어두움을 비유적으로 이르는 말.

미련한 송아지 백정을 모른다
- 미련한 송아지 → 어리석은 사람
- 백정 → 소(송아지)를 잡는 사람

같은 뜻의 다른 속담

바닷가 개는 호랑이 무서운 줄 모른다

바닷가에는 호랑이가 없으므로 호랑이가 무엇인지 모르는 개는 호랑이를 무서워할 줄 모른다는 뜻.

갖바치 내일 모레

갖바치들이 흔히 신발을 제날짜에 만들어 주지 않고 내일 오라 모레 오라 한다는 데서, 약속을 자꾸 미루는 것을 비유적으로 이르는 말.

갖바치 내일 모레
- 갖바치 → 약속을 지켜야 할 사람
- 내일 모레 → 자꾸 미루는 것을 뜻함

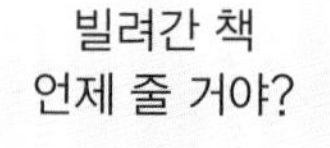

내일? 아니면 모레?
잘 모르겠다.

정답 갖바치 내일 모레

#과거 직업 #속담

Q. 그림과 이어지는 해시태그(#)를 보고 알맞은 속담을 골라 □에 V표 하시오.

나도 사또 너도 사또, 아전 노릇은 누가 하느냐

사람들이 모두 좋은 자리에만 있겠다고 하면 궂은일을 할 사람이 없음을 비유적으로 이르는 말.

나도 사또 너도 사또,
→ 모두가 좋은 자리만 찾으면
아전 노릇은 누가 하느냐
→ 궂은일을 할 사람이 없다는 뜻

사공이 많으면 배가 산으로 간다

여러 사람이 자기주장만 내세우면 일이 제대로 되기 어려움을 비유적으로 이르는 말.

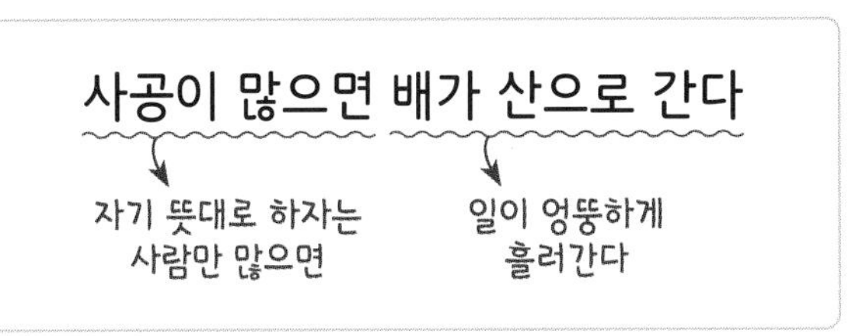

정답 사공이 많으면 배가 산으로 간다

1 다음 설명에 해당하는 직업을 보기에서 골라 쓰시오.

보기
거간꾼 아전 보부상 갖바치 마름

(1) 옛날에 가죽신을 만들던 사람. ( )
(2) 관아에서 사또를 도와 일을 하던 공무원. ( )
(3) 사고파는 사람 사이에 흥정을 붙이던 사람. ( )
(4) 땅 주인을 대신하여 소작농들을 관리하던 사람. ( )

2 다음 글을 보고 김만덕의 직업은 무엇일지 쓰시오.

김만덕은 조선 시대의 여성으로 제주도에 객줏집을 운영하였다. 그녀는 오랜 세월 동안 자신만의 신념을 지키며 장사를 한 결과, 많은 돈을 벌었다.
김만덕은 제주도에 큰 흉년이 들었을 때 자신의 재산을 아끼지 않고 베풀어 많은 사람들이 굶어 죽지 않도록 도왔다. 이를 전해 들은 임금은 그녀를 갸륵히 여겨 궁궐에 불러들이기도 했다.

( )

3 과거에 소나 개, 돼지 따위를 잡는 일을 직업으로 하는 사람을 무엇이라고 합니까? ( )

① 사공 ② 객주 ③ 백정 ④ 아전 ⑤ 마름

4 ( ) 안의 알맞은 말에 ○표 하시오.

(1) 조선 시대의 (객주 / 보부상)들은 전국을 돌아다니며 물건을 팔았다.
(2) 강을 건너기 위해 (뱃사공 / 강태공)을 찾았으나 배만 덩그러니 놓여 있었다.
(3) 새로 온 (마름 / 아전)이 소작료를 자기 마음대로 올려 받아서 관아에 끌려갔다.

1
주

5 **다음 이야기에서 떠올릴 수 있는 속담은 어느 것입니까?** ( )

> 실습실 칠판에 "떡볶이 만들기" 여섯 글자가 크게 적혀 있어요.
> 연주, 재희, 민지, 건후, 창경 모두 다섯 명이 머리를 맞대고 앉아 있어요. 학급의 다른 조들은 모두 역할을 나눠 맡았는데 이 친구들만 아직 못 정한 모양이네요.
> 아무도 말이 없자 연주가 답답한 마음에 한 마디 했어요.
> "재료 구입에 1명, 재료 손질에 1명, 조리에 2명, 시식 1명 이렇게 필요해."
> "나 시식!"
> "시식, 저요!"
> "시식은 내가 할래!"
> "맛도 모르는 녀석들이 무슨 시식이야? 시식은 요리사 아들인 내가 맡아야지."
> 연주의 말이 끝나자마자 재희, 민지, 건후, 창경 네 명은 모두 시식을 맡겠다고 나섰어요.
> "……아니, 다들 쉬운 시식만 하고 싶다고 하면 떡볶이는 누가 만들어? 재료 준비부터 조리까지 직접 해 보는 게 과제잖아!"
> 연주는 울분을 삭히려는 듯 큰 소리로 한 마디 했어요. 나머지 넷은 아무 말도 할 수 없었어요.

① 갖바치 내일 모레
② 원님 덕에 나팔 분다
③ 미련한 송아지 백정을 모른다
④ 사공이 많으면 배가 산으로 간다
⑤ 나도 사또 너도 사또, 아전 노릇은 누가 하느냐

6 **'갖바치'와 비슷한 오늘날의 직업은 어떤 물건과 관련이 있는지 ○표 하시오.**

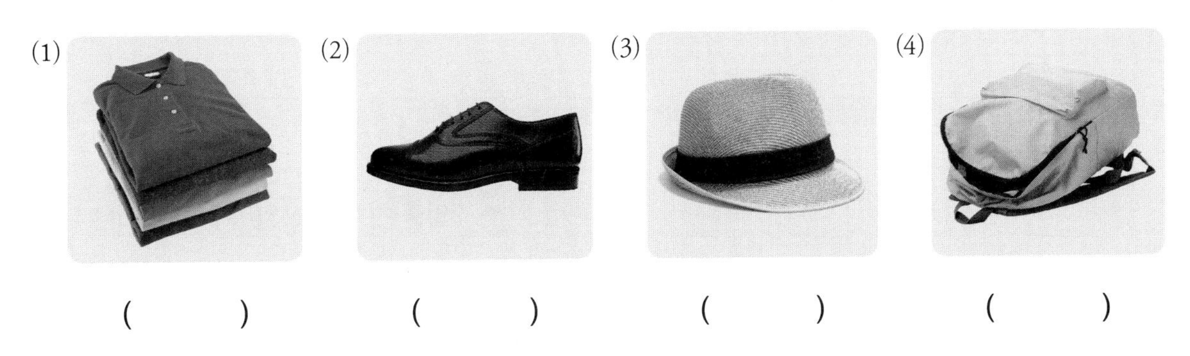

(1) ( )　(2) ( )　(3) ( )　(4) ( )

7 **속담 '미련한 송아지 백정을 모른다'의 알맞은 뜻을 찾아 기호로 쓰시오.**

> ㉠ 약속한 날짜를 이날 저 날 자꾸 미루는 것을 비유적으로 이르는 말.
> ㉡ 겪어 보지 않았거나 어리석어서 세상 이치에 어두움을 비유적으로 이르는 말.
> ㉢ 사람들이 모두 좋은 자리에만 있겠다고 하면 궂은일을 할 사람이 없음을 비유적으로 이르는 말.
> ㉣ 주관하는 사람 없이 여러 사람이 자기주장만 내세우면 일이 제대로 되기 어려움을 비유적으로 이르는 말.

( )

누구나 100점 TEST

1 '냉철하다'와 '냉정하다'에 들어간 '냉' 자의 뜻은 무엇입니까? ( )

① 멀다. ② 가깝다.
③ 차갑다. ④ 뜨겁다.
⑤ 단단하다.

2 '치사하다'와 관련이 있는 속담은 어느 것인지 기호를 쓰시오.

㉠ 벼룩의 간을 내먹는다
㉡ 여우를 피해서 호랑이 만났다
㉢ 벼룩의 등에 육간대청을 짓겠다
㉣ 호랑이에게 물려가도 정신만 차리면 산다

( )

3 오른쪽 그림에 표시한 부분은 무엇이라고 부릅니까? ( )

① 미간
② 콧대
③ 인중
④ 눈시울
⑤ 관자놀이

4 다음 사자성어는 얼굴의 어느 부분과 관련된 말인지 기호를 쓰시오.

괄목상대: 남의 학식이나 재주가 놀랄 만큼 부쩍 늘었을 때 사용하는 말.

㉠
㉡
㉢

( )

5 밑줄 친 말의 쓰임이 알맞은 것은 무엇입니까? ( )

① 전철 내부는 불에 타지 않는 가연성 물질로 만들어진다.
② 저녁에 어두워지자 곳곳의 상점들이 간판의 불을 점등하였다.
③ 학교에 다녀와서 집으로 돌아오자마자 형광등을 점화하였다.
④ 휘발유는 불연성 물질이므로 각별히 조심하며 다루어야 한다.
⑤ 녹차를 마시려고 주전자에 물을 받은 다음 가스레인지의 불을 점등하였다.

◐ 정답과 풀이 3쪽 점수 점

6 ㉠~㉢을 통해 떠올릴 수 있는 사자성어는 어느 것입니까? ( )

㉠ 등불 ㉡ 독서 ㉢ 공부

① 풍전등화
② 등화가친
③ 형설지공
④ 명약관화
⑤ 와신상담

7 낱말의 쓰임에 대하여 잘못 설명한 친구는 누구입니까?

하늘: 자선 사업을 위해 돈이나 물건을 줄 때에는 '기부'를 써.
현빈: 남에게 빌린 것을 갚을 때에는 '보상', 남의 은혜를 갚을 때에는 '보답'을 써.
봉식: 증서나 상장을 주는 것을 '부여'라고 하고, 사람에게 임무를 줄 때 '수여'라고 해.

( )

8 다음 뜻을 가진 속담은 어느 것입니까? ( )

미운 사람일수록 잘해 주어야 한다.

① 병 주고 약 준다
② 되로 주고 말로 받는다
③ 미운 놈 떡 하나 더 준다
④ 굿이나 보고 떡이나 먹지
⑤ 떡 줄 사람은 꿈도 안 꾸는데 김칫국부터 마신다

9 다음 그림과 같이 배를 부리는 일을 직업으로 하는 사람을 무엇이라고 부릅니까? ( )

① 백정
② 마름
③ 아전
④ 사공
⑤ 보부상

10 다음 속담의 알맞은 뜻을 찾아 기호로 쓰시오.

나도 사또 너도 사또, 아전 노릇은 누가 하느냐

㉠ 약속한 날짜를 자꾸 미루는 것을 비유적으로 이르는 말.
㉡ 겪어 보지 않았거나 어리석어서 세상 이치에 어두운 것을 비유적으로 이르는 말.
㉢ 모두 좋은 자리에만 있겠다고 하면 궂은 일을 할 사람이 없음을 비유적으로 이르는 말.
㉣ 주관하는 사람이 없이 여러 사람이 자기 주장만 내세우면 일이 제대로 되기 어려움을 비유적으로 이르는 말.

( )

어휘 플러스

얼굴 가죽이 두껍다

'얼굴 가죽이 두껍다'에는 부끄러움을 모르고 염치가 없다는 뜻이 있지.

철면피(鐵面皮)는 '쇠처럼 두꺼운 얼굴'이라는 뜻으로 뻔뻔한 사람을 나타내는 말이야.

1
주

창의·융합·코딩 ②

사고 쑥쑥

1

낱말에 대한 알맞은 설명이 적힌 카드의 번호를 빙고 판에서 모두 찾아 ○표를 하세요. 완성된 빙고는 모두 몇 줄인지 쓰세요.

1 태도가 정답지 않고 차가울 때 '냉정하다'를 쓴다.	2 감정에 잘 휘둘리는 사람을 '냉철하다'라고 한다.	3 딱 잘라 말하는 것을 '단언하다'라고 한다.
4 유쾌하고 활발한 사람에게 '맹랑하다'를 쓴다.	5 속이 좁고 겁이 많은 사람에게 '비겁하다'를 쓴다.	6 '치사한' 사람은 돈을 아끼지 않을 것이다.
7 나이에 비해 어른스러운 아이에게 '맹랑하다'를 쓴다.	8 태도나 입장이 엄격할 때 '유연하다'를 쓴다.	9 돈을 지나치게 아끼는 사람을 '치사하다'라고 한다.

( ) 줄

2 낱말의 알맞은 뜻을 따라 길을 표시하며 강을 무사히 건너 보세요.

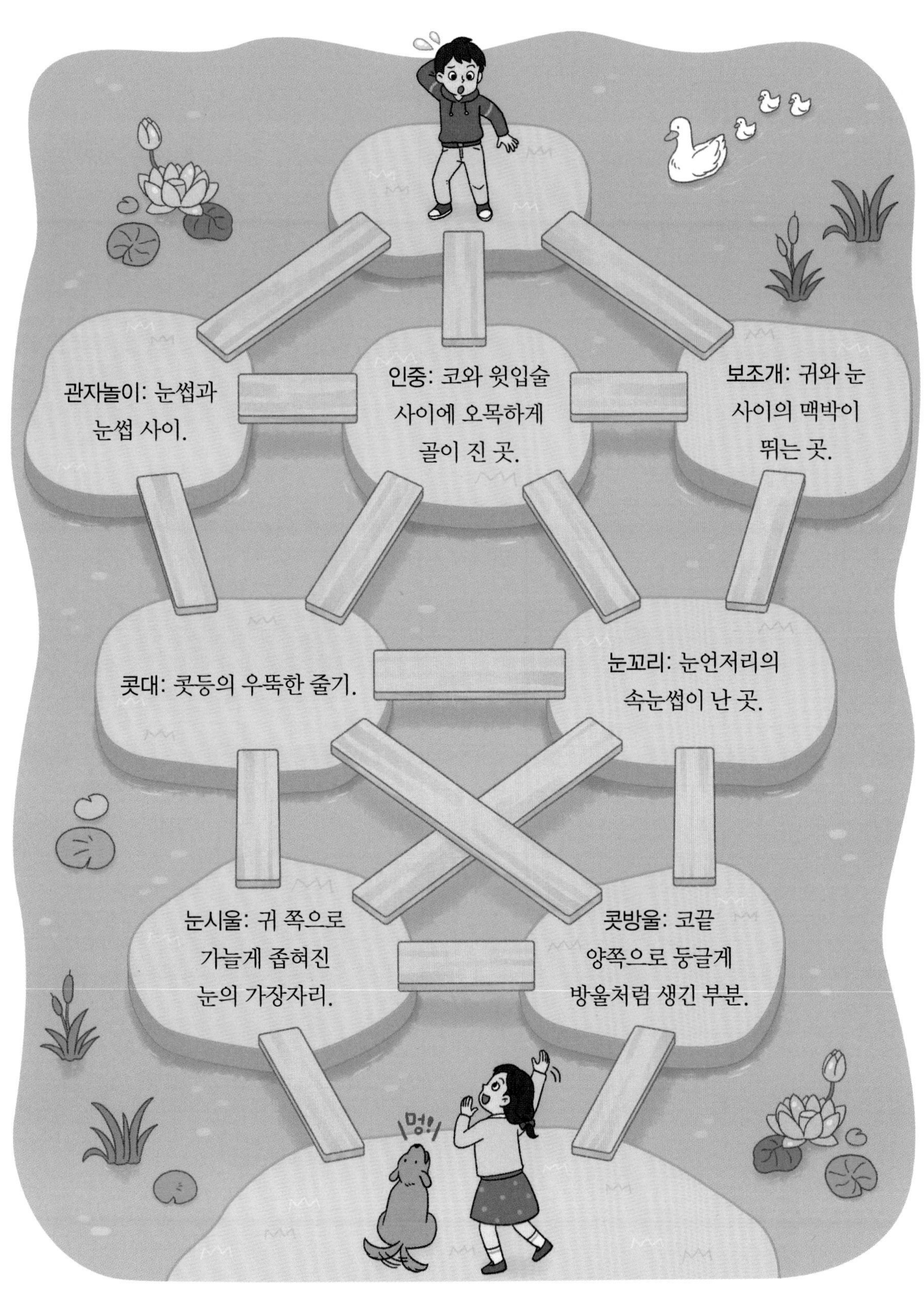

논리 탄탄

1 바람이는 물건을 팔던 과거 직업을 인터넷으로 조사하고 있어요. 인터넷 검색 결과가 참으로 나왔을 때 ㉠에 들어갈 알맞은 내용을 **보기** 에서 찾아 쓰세요.

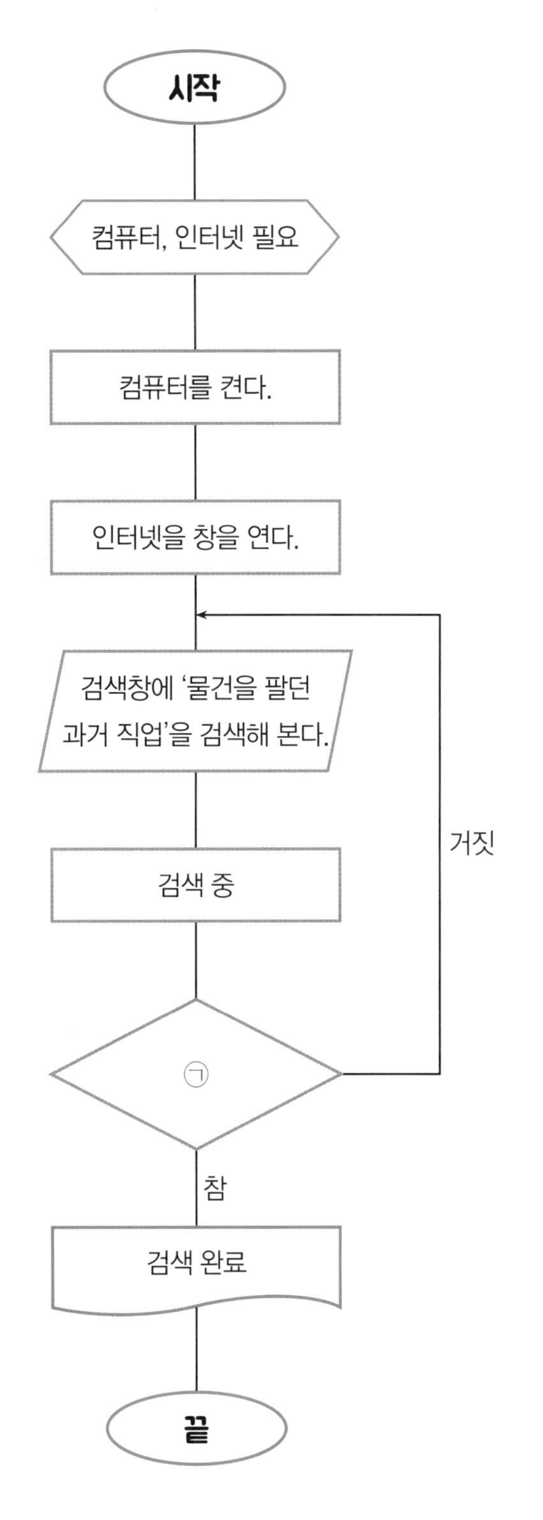

보기

▲ 보부상

▲아전

▲ 사공

( )

2 자리를 바꾸지 않고 계속 달린다면 정답을 가장 많이 맞히는 친구는 누구인지 쓰세요.

( )

2주에는 무엇을 공부할까? ①

1일 국어 > 전기문

귀인 / 위인
상황 / 실황
업적 / 실적
극치 / 가치

속담 누더기 속에서 영웅 난다 / 거지도 부지런하면 더운밥을 얻어먹는다
사자성어 필사즉생 / 구사일생

2일 생활 > 인상

핼쑥하다 / 말쑥하다
안면 / 안색
기척 / 기색
인성 / 인상

관용어 얼굴에 씌어 있다 / 얼굴을 보다
사자성어 인면수심 / 파안대소

3일 과학 > 몸, 소화

정맥 / 동맥
소화 / 흡수
배설 / 호흡
골격 / 근육

속담 바늘로 찔러도 피 한 방울 안 난다 / 피는 물보다 진하다
관용어 뼈를 묻다 / 살을 붙이다

4일 생활 > 마음

자존심 / 자긍심
경각심 / 경외심
동정심 / 동경심
호기심 / 노파심

속담 열 길 물속은 알아도 한 길 사람의 속은 모른다 / 겉 다르고 속 다르다
사자성어 노심초사 / 반신반의

5일 사회 > 선거

후보자 / 유권자
투표 / 선거공약
여론 / 유세
선거권 / 참정권

한자어 민주주의 / 민족주의
속담 가재는 게 편이요 초록은 한 빛이라 / 도랑 치고 가재 잡는다

어휘 플러스

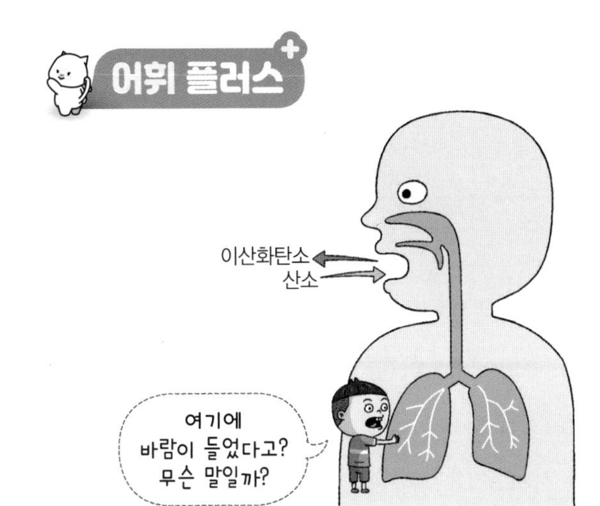

'허파에 바람 들다'는

무슨 뜻일까?

2주

업적 / 실적

*업적: 훌륭한 일.
*실적: 업무에서 한 일.

업적과 실적은 어떻게 다를까요?

1 다음 중 밑줄 그은 낱말을 잘못 사용한 사람은?

민영	유나	영천
오늘은 하루 종일 손님이 없어서 아무 실적을 올리지 못했습니다.	세종 대왕이 한글을 창제하신 것은 아주 훌륭한 업적입니다.	훌륭한 이순신 장군의 실적을 본받아 저도 용감한 군인이 되고 싶습니다.

( )

자존심 / 자긍심

*자존심: 자신을 높이는 마음.
*자긍심: 자신을 믿는 마음.

자존심과 자긍심의 차이는 무엇일까요?

2 빈칸에 자존심을 쓸 수 없는 문장은? ( )

① 마지막 ○○○을 걸고 다시 한 번 도전해야겠다.
② 내가 달리기에서 1등을 못하다니 정말 ○○○ 상했다.
③ 우리 모두 긍정적인 자세로 생각하며 ○○○을 가져야 한다.

후보자

유권자

*후보자: 선거에 후보로 나간 사람.
*유권자: 선거에 투표할 권리를 가진 사람.

누가 후보자이고 누가 유권자일까요?

3 밑줄 그은 말의 쓰임이 알맞지 않은 것은? ( )

① 어린이들은 유권자가 아니라 후보자이다.
② 후보자도 투표를 할 수 있으니 유권자이다.
③ 옆 집 아저씨가 대통령 선거에 나가 후보자가 되었다.

열 길 물속은 알아도 한 길 사람의 속은 모른다

*사람의 마음은 그만큼 알기 어렵다는 말.

왜 열 길 물속은 알아도 한 길 사람의 속은 모른다고 하였을까요?

4 다음 속담을 사용하기에 알맞은 경우는? ( )

열 길 물속은 알아도 한 길 사람의 속은 모른다

① 나라 곳곳에 큰 홍수가 났을 때
② 강물에 소중한 물건을 빠뜨렸을 때
③ 갑자기 마음이 변한 친구 때문에 힘들 때

#전기문

Q. 그림과 이어지는 해시태그(#)를 보고 알맞은 어휘를 골라 □에 V표 하시오.

① 귀인 □ / 위인 □

#전기문 #훌륭한_사람 #본받을_만한 #전기문의_주인공 #위에_있는_사람_아님

② 상황 □ / 실황 □

#전기문 #주변의_상태 #돌아가는_분위기 #어떤_일이_벌어진 #정세

③ 업적 □ / 실적 □

#전기문 #훌륭한_일 #이루어_낸_일 #높이_평가 #칭송받을_일 #평생을_바친_일

④ 극치 □ / 가치 □

#전기문 #귀하게_여김 #소중히_여김 #삶의_기준 #사람마다_다름 #가장_중요한_것

정답 ① 위인 ② 상황 ③ 업적 ④ 가치

① 귀인

사회적 지위가 높고 귀한 사람. 반의어 천인

예 이렇게 차려입으니 귀인 같구나.

위인

뛰어나고 훌륭한 사람.

예 이순신 장군 위인전을 읽었다.

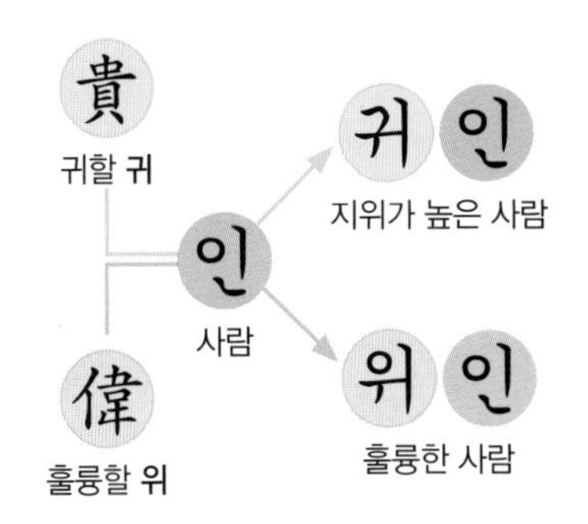

② 상황

일이 되어 가는 과정이나 형편.

예 위인전을 읽을 때 시대적 상황을 살펴야 한다.

실황

실제의 상황.

예 축구 경기를 실황으로 중계하고 있다.

③ 업적

어떤 사업이나 연구, 삶에서 이루어낸 일.

예 세종 대왕은 위대한 업적을 남긴 위인이다.

실적

실제로 이룬 업적이나 공적.

예 겨울에는 에어컨 판매 실적이 낮다.

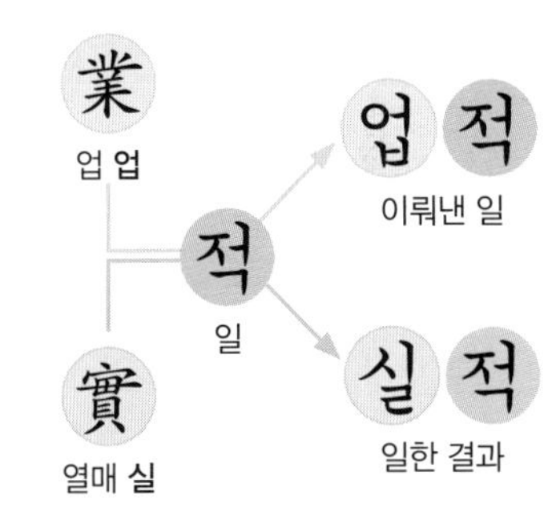

④ 극치

도달할 수 있는 최고의 경지.

예 백두산을 가 보고 아름다움의 극치라고 느꼈다.

가치

한 사람이 살아가며 중요하게 여기거나 옳다고 믿는 것.

예 전기문 속 인물이 추구하는 가치는 무엇입니까?

#전기문 #속담

Q. 그림과 이어지는 해시태그(#)를 보고 알맞은 속담을 골라 ☐에 V표 하시오.

누더기 속에서 영웅 난다 ☐ / 거지도 부지런하면 더운밥을 얻어먹는다 ☐

#전기문 #영웅 #개천에서_용_났다 #어려운_형편 #훌륭한_인물로_성장 #감동적인_이야기

누더기 속에서 영웅 난다

누덕누덕 기운 옷을 입고 자라난 사람이 후에 영웅이 된다는 뜻으로, 가난한 집에서 인물이 나왔을 때 이르는 말.

누더기 속에서 영웅 난다
- 누더기 → 좋지 않은 형편
- 영웅 → 훌륭한 사람

뜻이 비슷한 속담

개천에서 용 난다

어려운 집안이나 변변하지 못한 부모에게서 훌륭한 인물이 나오는 경우를 이르는 말.

예 개천에서 용 난다고, 그 친구가 금메달을 딸 줄은 아무도 몰랐습니다.

거지도 부지런하면 더운밥을 얻어먹는다

누구든지 잘 살려면 부지런해야 함을 비유적으로 이르는 말.

거지도 부지런하면 더운밥을 얻어먹는다
- 거지도 부지런하면 → 누구든지 부지런하면
- 더운밥을 얻어먹는다 → 좋은 일이 생긴다

정답 누더기 속에서 영웅 난다

#전기문 #목숨

Q. 그림과 이어지는 해시태그(#)를 보고 알맞은 사자성어를 골라 ☐에 V표 하시오.

필사즉생

죽기를 각오하면 살 것이라는 뜻으로 이순신 장군이 임진왜란 때 싸우며 남긴 말.

• 시대 상황: 임진왜란이 일어남.
• 이순신의 업적: 왜적들을 물리침.

구사일생

아홉 번 죽을 뻔하다 한 번 살아난다는 뜻으로, 죽을 고비를 여러 차례 넘기고 겨우 살아남을 이르는 말.

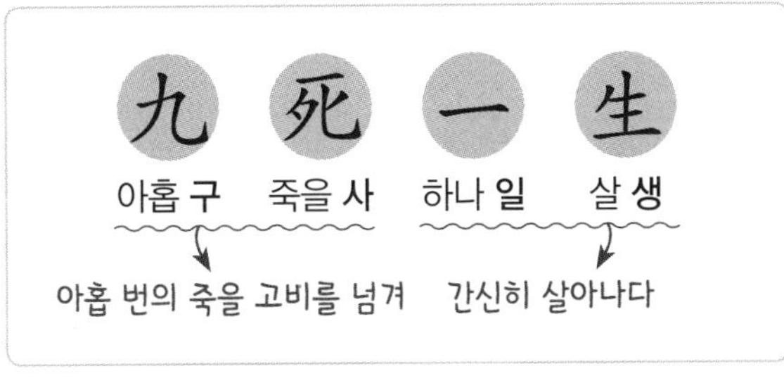

정답 필사즉생

1일 기초 집중연습

1 보기에 있는 사람들을 통틀어 무엇이라고 부르는지 두 글자로 쓰시오.

보기

유관순 이순신 안중근 세종 대왕

( )

2 다음 문장에서 밑줄 그은 '가치'의 뜻으로 알맞은 것은 무엇입니까? ( )

유관순이 추구하는 가치는 무엇이었을까?

① 어떤 물건의 쓸모.
② 가치를 바라보는 관점.
③ 도달할 수 있는 최고의 경지.
④ 어떤 물건을 살 때 필요한 돈.
⑤ 한 사람이 살아가며 가장 중요하게 여기는 것.

3 다음 문장의 밑줄 그은 부분을 대신할 수 있는 낱말을 쓰시오.

세현이가 (1)역사적으로 훌륭한 인물의 삶을 알아보려고 전기문을 읽었습니다. 전기문 속 인물이 추구하는, (2)삶에서 가장 중요하게 여기는 점이 무엇인지 살펴보고 배울 점을 정리했습니다.

(1) □□ (2) □□가

4 ( ) 안의 알맞은 말에 ○표 하시오.

(1) 공연 (상황 / 실황)을 담은 영상을 보고 싶습니다.
(2) 저 영업 사원이 올해 가장 높은 (업적 / 실적)을 기록했습니다.
(3) 저는 세종 대왕의 (업적 / 실적) 중에서 한글 창제를 가장 높이 평가합니다.
(4) 전기문에서 인물이 어떤 시대적 (상황 / 실황)에 처해 있는지 살펴봐야 합니다.

5 다음 이야기에서 떠올릴 수 있는 속담은 어느 것입니까? ( )

옛날 어느 산골 마을에 몹시 가난한 아이가 살고 있었어요. 지혜로운 아이였지만 집이 가난하여 서당에 다닐 형편도 되지 못했지요. 아이는 매일 물을 길으러 다닐 때나, 나무를 하러 다닐 때에는 곧잘 서당을 지나쳐 가곤 했어요. 비록 공부를 할 수는 없었지만 다른 아이들이 글 읽는 소리를 들으며 따라 하는 게 좋았지요. 하지만 서당 아이들은 아이가 지나갈 때마다 놀렸어요.

"저기 누더기 지나간다."

"아이고, 여기까지 누더기 냄새가 난다."

하지만 아이는 절대 화를 내는 법이 없었어요. 그저 씨익 웃으며 서당을 지나갈 뿐이었어요.

아이는 어느 덧 건장한 청년으로 자랐어요. 제대로 배운 적은 없지만 무엇이 옳고 무엇이 그른지 늘 고민하며 자랐기에 또래보다 어른스러웠답니다. 그해 가을에서 겨울이 될 무렵, 나라에 전쟁이 일어났어요. 청년도 전쟁터에 끌려 갈 수밖에 없었지요.

"내가 비록 고아지만, 나라의 은혜를 잊을 수는 없다."

청년은 누구보다도 용맹스럽게 싸웠어요. 싸움을 계속해 나갈수록 군대에서도 청년의 지혜로움을 깨닫고 더 큰 임무를 주기 시작했지요.

일 년이 지나고, 이 년이 지나 전쟁이 끝날 무렵이었어요. 청년은 나라에서 가장 젊은 장군이 되었지요. 청년이 거느리는 군사들은 마치 청년과 한 몸이 된 것처럼 지혜롭게 싸웠기에 청년은 누구보다도 빨리 높은 자리에 오를 수 있었답니다.

① 천 리 길도 한 걸음부터
② 누더기 속에서 영웅 난다
③ 굴러 온 돌이 박힌 돌 빼낸다
④ 개똥밭에 굴러도 이승이 좋다
⑤ 서당 개 삼 년에 풍월을 읊는다

6 '필사즉생'의 알맞은 뜻을 찾아 기호를 쓰시오.

㉠ 살고자 하면 반드시 죽을 것이다.
㉡ 죽을 각오로 싸우면 살 수 있을 것이다.
㉢ 아무리 하찮은 벌레라도 소중한 생명이다.
㉣ 살생을 함부로 하지 말고 가려서 해야 한다.

( )

7 '구사일생'을 한자로 알맞게 쓴 것은 무엇입니까? ( )

① 九十一生
② 九四一生
③ 九死日生
④ 九死一生
⑤ 口死一生

#인상

Q. 그림과 이어지는 해시태그(#)를 보고 알맞은 어휘를 골라 ☐에 V표 하시오.

① 핼쑥하다 ☐ / 말쑥하다 ☐

#인상 #창백한 #핏기가_없는 #살이_없는 #뱀파이어_아님

② 안면 ☐ / 안색 ☐

#인상 #얼굴의_빛깔 #얼굴의_분위기 #얼굴에_나타난_표정 #눈빛

③ 기척 ☐ / 기색 ☐

#인상 #마음_상태 #얼굴에_드러난 #느낌 #분위기

④ 인성 ☐ / 인상 ☐

#인상 #얼굴 #표정 #생김새 #거울_앞에 선_활짝 #카메라_앞에서도_펴고

정답 ① 핼쑥하다 ② 안색 ③ 기색 ④ 인상

① 핼쑥하다

얼굴에 핏기가 없고, 살이 빠진 느낌이 든다. 주의 핼쓱하다 ×

예 장염을 앓았더니 얼굴이 핼쑥해졌다.

말쑥하다

지저분함이 없이 말끔하고 깨끗하다.

예 이발을 해서 그런지 인상이 말쑥해 보인다.

② 안면

눈, 코, 입이 있는 머리의 앞면. / 서로 얼굴을 알 만한 친분.

예 라면을 앞에 두고 안면에 미소가 떠올랐다.

안색

얼굴에 나타나는 표정이나 빛깔.

예 안색이 좋지 않은데 어디 아픈 것 아니니?

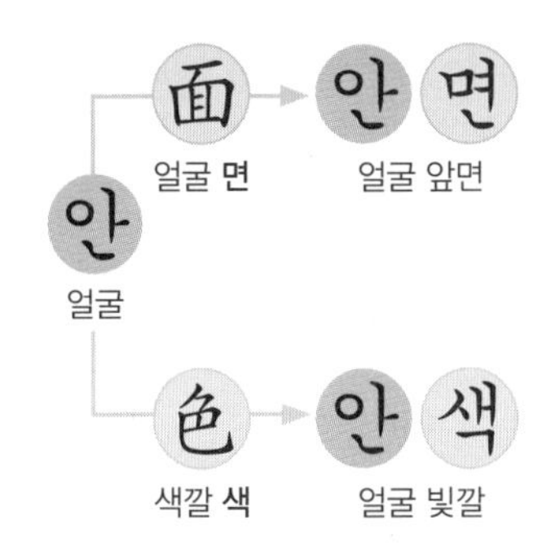

③ 기척

누가 있는 줄을 짐작하여 알 만한 소리.

예 아무 기척도 없이 들어오면 어떡하니?

기색

마음의 작용으로 얼굴에 드러나는 빛.

예 누나는 선물을 받고 무척 놀라는 기색이었다.

기척 → 소리
기색 → 얼굴빛

④ 인성

사람의 성품.

예 올바른 인성을 길러야 한다.

인상

사람 얼굴의 생김새. 또는 얼굴의 근육이나 눈살.

예 곧 주말이니 인상 좀 펴라.

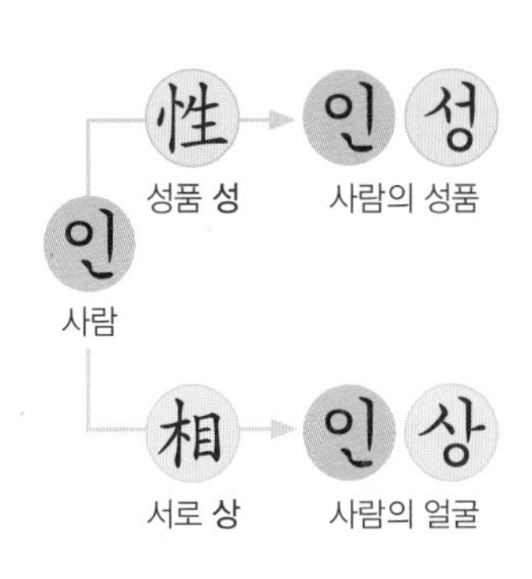

#인상 #얼굴 #관용어

Q. 그림과 이어지는 해시태그(#)를 보고 알맞은 어휘를 골라 ☐에 V표 하시오.

얼굴에 씌어 있다 ☐ / 얼굴을 보다 ☐

#인상 #얼굴 #기분 #마음이_그대로 #글자가_아닌_표정으로 #말하지_않아도_알아요

얼굴에 씌어 있다

감정, 기분 따위가 얼굴에 나타나다.

예 너 삐쳤구나? 얼굴에 씌어 있네.

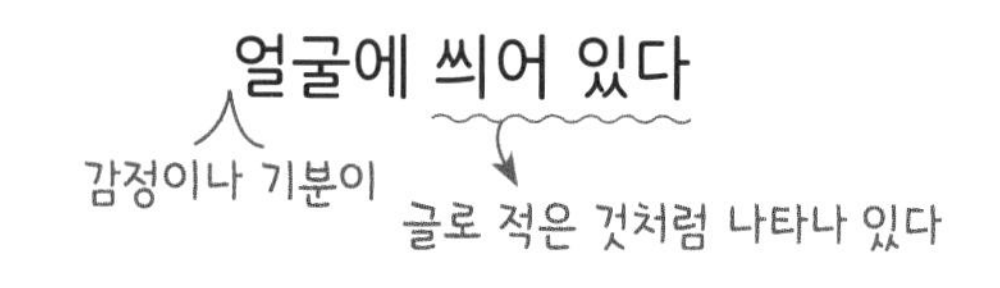

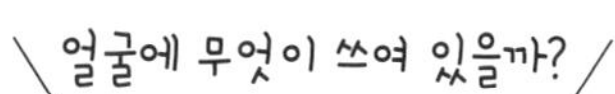

마음	화가 남. / 기분이 좋지 않음.

얼굴을 보다

체면을 생각해 주다.

예 내 얼굴을 봐서라도 좀 참아라.

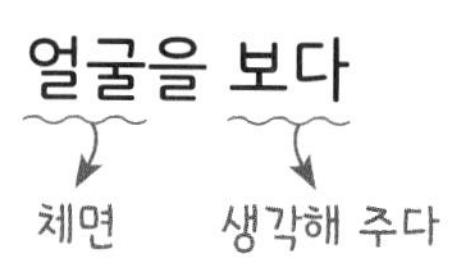

내 얼굴을 봐서라도
화를 좀 풀어.

네 얼굴을 보면
더 화가 나!

정답 얼굴에 씌어 있다

#인상 #얼굴 #사자성어

Q. 그림과 이어지는 해시태그(#)를 보고 알맞은 사자성어를 골라 ☐에 V표 하시오.

인면수심 ☐ / 파안대소 ☐

#인상 #얼굴 #활짝 #큰_웃음 #얼굴이_찢어질_듯 #하하하하하하하하

인면수심

사람의 얼굴을 하고 있으나 마음은 짐승과 같다는 뜻으로, 마음이나 행동이 흉악함을 이르는 말.

동물 얼굴을 하고
사람 마음을 가지기도
힘들구나.

파안대소

얼굴에 주름이 크게 생길 만큼 매우 즐거운 표정으로 활짝 웃음.

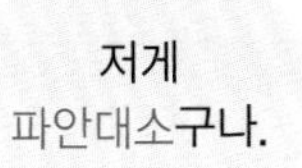

정답 파안대소

1 '인상'의 뜻으로 알맞은 것은 무엇입니까? ( )

① 사람의 성품.
② 사람 얼굴의 앞면.
③ 사람 얼굴의 생김새.
④ 사람이 본디부터 가진 성질.
⑤ 사람 얼굴에 나타나는 표정.

2 ( ) 안의 알맞은 말에 ○표 하시오.

(1) 얼굴이 (핼쑥한데 / 말쑥한데) 어디 아픈 것 아니니?
(2) 옷을 제대로 다려 입으니 참 (핼쑥해 / 말쑥해) 보입니다.
(3) 칭찬을 들은 친구의 얼굴에는 기쁜 (기색 / 기척)이 드러났습니다.
(4) 강아지가 잠에서 깰까 봐 아무 (기색 / 기척)을 내지 않고 지나갔습니다.

3 빈칸에 알맞은 말을 보기에서 골라 쓰시오.

보기
인상 안면 인성 안색

(1) 그 친구는 □□은 험상궂었지만 마음은 몹시 여렸다.
(2) 자전거를 타다가 넘어지는 바람에 □□에 상처가 났다.
(3) 좋은 성적을 내는 것도 좋지만 훌륭한 □□을 기르는 것이 더 중요하다.

4 빈칸에 공통으로 들어갈 알맞은 말은 어느 것입니까? ( )

㉠ 너 ____이 너무 창백한데, 괜찮아?
㉡ 피부가 좀 흰 편이라 ____이 창백하다는 소리를 자주 들어요.
㉢ ____이 점점 어두워지는 것을 보니 좋지 않은 소식을 들은 것이 확실합니다.

① 안면 ② 안중 ③ 안색 ④ 인성 ⑤ 안광

5 ㉠과 ㉡에서 떠올릴 수 있는 사자성어는 무엇입니까? ( )

"참으로 안타까운 일이 일어났습니다. ㉠사람의 탈을 쓰고 그럴 수는 없다는 말도 있지요. 마치 놀부가 제비의 다리를 일부러 부러뜨리고, 치료해 주면서 복이 오길 바라는 것만큼 질이 나쁘다고 할 수 있겠네요. 저는 장염에 걸렸습니다. 그래서 미음이나 죽을 제외하고는 제대로 된 식사를 할 수 없죠. 그런데 온 가족이 저만 빼고 소고기를 먹으러 다녀온다고 하지 않겠습니까? 어떻게 장염으로 고통받는 막내아들만 쏙 빼놓고 1년에 한두 번 먹을까 말까 하는 소고기를! 하필 지금과 같은 때에 먹으러 나가는지 저는 절대 이해할 수 없었습니다."

"야옹, 야옹!"

"응, 그래. 너도 배고프구나. 조금만 기다려. 사료가 어디 있더라…?"

"아이고, 고양이 밥 좀 주고 오느라고 방송 흐름이 끊어졌네요. 시청자 여러분 죄송합니다. 어디까지 했죠? 아, 저를 위한답시고 소고기죽을 배달시켜 먹으라는 말을 듣고 저는 더욱 참담한 마음이 들었습니다. 제가 다 나을 때까지 며칠 기다렸다 먹으면 무슨 큰일이 나나요? 하루이틀 사이에 소고깃값이 2~3배 오르기라도 한답니까? 정말이지 저는 주워 온 자식이 아닌가 의심할 수밖에 없었습니다. ㉡짐승도 이러지는 않을 것입니다."

"딩동, 딩동."

"아, 벌써 소고기죽이 배달되어 온 모양이네요. 그럼 소고기죽을 준비한 다음부터는 별도의 멘트 없는 먹방으로 전환되겠습니다. 모두들 잠시만 기다려 주세요!"

① 천고마비 ② 인면수심 ③ 와신상담 ④ 근묵자흑 ⑤ 어부지리

6 다음 표현의 알맞은 뜻을 선으로 이으시오.

(1) 얼굴을 보다 •

(2) 얼굴에 씌어 있다 •

• ① 남을 떳떳이 대하다.

• ② 체면을 생각해 주다.

• ③ 감정이 얼굴에 그대로 나타나다.

7 다음 빈칸에 들어갈 사자성어는 무엇입니까? ( )

지훈: 얘들아, 안녕?

유정: 어? 너 머리가 왜 그래?

세미: 아하하하하하하하! 완전 개그맨 같다! 하하하하하!

지훈: 너무 [ ]하는 것 아니야? 그렇게 이상해?

① 환골탈태 ② 괄목상대 ③ 관포지교 ④ 파안대소 ⑤ 인사불성

#몸, 소화

Q. 그림과 이어지는 해시태그(#)를 보고 알맞은 어휘를 골라 □에 V표 하시오.

① 정맥 □ / 동맥 □

#몸 #혈관 #심장으로_가는 #푸른색
#피부에_드러난 #주사도_놓음

② 소화 □ / 흡수 □

#소화 #먹은_것을_분해 #몸으로_흡수
#에너지를_만드는 #꺼어억

③ 배설 □ / 호흡 □

#소화 #몸_바깥으로_내보내는 #똥
#오줌 #너무_참으면_안_돼

④ 골격 □ / 근육 □

#몸 #운동 #단백질 #단단한 #힘
#근손실_걱정에_잠이_안_옴

정답 ① 정맥 ② 소화 ③ 배설 ④ 근육

① **정맥**

우리 몸의 각 부분에서 심장 쪽으로 피를 보내는 혈관.

예 피부에서 푸른색으로 보이는 혈관이 정맥이다.

동맥

심장에서 피를 몸의 각 부분에 보내는 혈관. 일반적으로 혈관의 벽이 두꺼우며 탄력성과 수축성이 많음.

예 우리 몸에서 동맥은 아주 중요한 혈관이다.

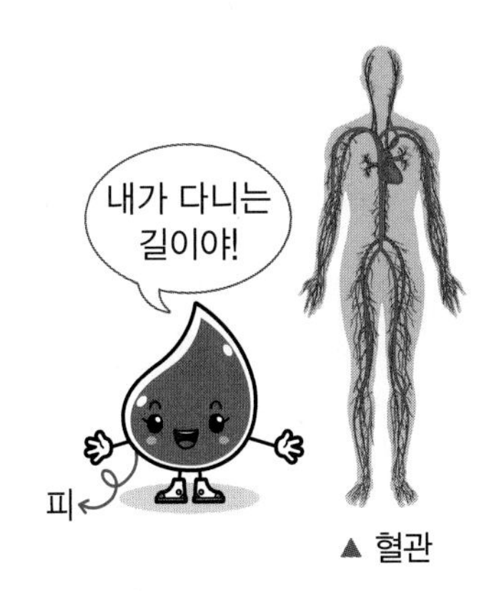

▲ 혈관

② **소화**

먹은 음식물을 분해하여 영양분을 흡수하기 쉬운 형태로 변화시키는 일.

예 너무 많이 먹었는지 소화가 안되는 거 같다.

흡수

위장이나 창자에서 영양소 및 물을 거두어들이는 일.

예 대장에서는 수분을 흡수한다.

소화는 흡수하기 위한 과정이고, 흡수는 소화된 것을 몸으로 빨아들이는 과정이야.

위장

③ **배설**

소화하고 흡수한 뒤 생긴 노폐물을 몸 밖으로 내보내는 일.

예 공원에 강아지 배설물이 곳곳에 있었다.

Tip 배설은 몸 밖으로 내보내는 것.

호흡

숨을 쉼. / 생물이 산소를 흡수하고 이산화 탄소를 몸 밖으로 내보내는 것.

예 갑자기 쓰러진 사람에게 인공 호흡을 실시하였다.

Tip 호흡은 숨을 내쉬고 들이쉬는 것.

④ **골격**

동물의 체형을 이루고 몸을 지탱하는 뼈.

예 시골 누렁이는 형제 중에서 골격이 가장 튼튼하다.

근육

뼈를 감싸는 힘줄과 살을 통틀어 이르는 말.

예 운동을 하다가 다리 근육을 다쳐서 병원에 갔다.

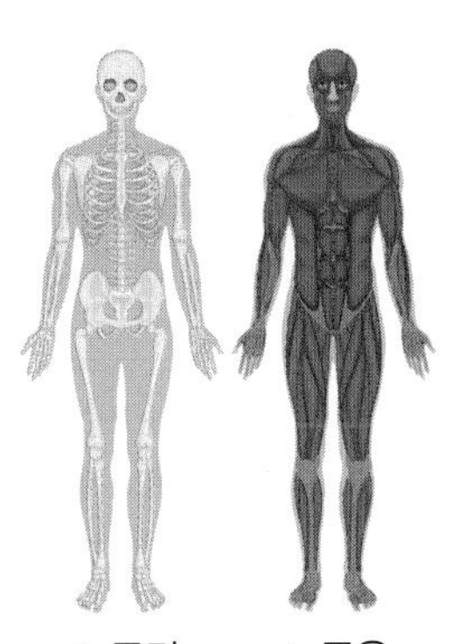
▲ 골격 ▲ 근육

#몸 #피 #속담

Q. 그림과 이어지는 해시태그(#)를 보고 알맞은 속담을 골라 ☐에 V표 하시오.

바늘로 찔러도 피 한 방울 안 난다 ☐ / 피는 물보다 진하다 ☐

#몸 #피 #혈액 #핏줄 #그래도_핏줄이라고 #가족의_소중함

바늘로 찔러도 피 한 방울 안 난다

사람이 매우 단단하고 야무지게 생겼음을 비유적으로 이르는 말.

피는 물보다 진하다

보통의 관계보다 피를 나눈 가족끼리의 정이 깊음을 이르는 말.

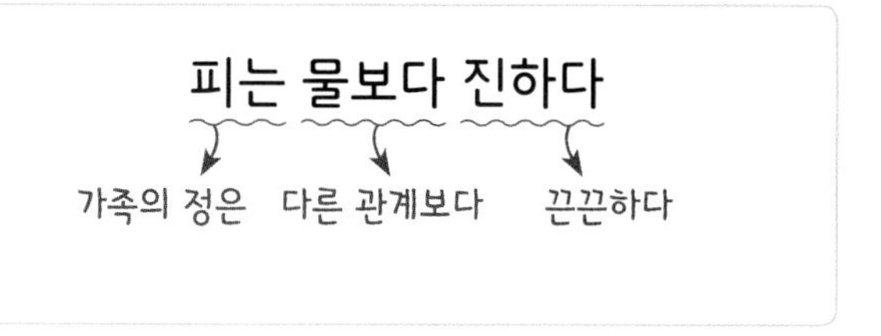

정답 피는 물보다 진하다

#몸 #뼈 #살 #관용어

Q. 그림과 이어지는 해시태그(#)를 보고 알맞은 어휘를 골라 ▢에 V표 하시오.

뼈를 묻다 ▢ / 살을 붙이다 ▢

#몸 #뼈와_살 #평생 #오래도록 #종사 #헌신 #종신_계약 #노예는_아님

뼈를 묻다

단체나 조직에 평생토록 헌신하다.

예 이 회사에 뼈를 묻어야겠다고 생각했다.

뼈를 묻다
- 죽을 때까지
- 계속하다

살을 붙이다

바탕에 여러 가지를 덧붙여 보태다.

예 개요를 잘 쓰면 살을 붙여 글을 완성하기 쉽다.

살을 붙이다
- 알맹이 등
- 새로 넣다

정답 뼈를 묻다

1 빈칸에 알맞은 말을 보기 에서 골라 쓰세요.

보기

호흡　　동맥　　배설　　정맥

(1) 심장에서 온몸으로 피를 보내는 혈관을 ☐☐이라고 한다.

(2) 온몸에서 심장 쪽으로 피를 보내는 푸른색 혈관을 ☐☐이라고 한다.

(3) 에베레스트같이 높은 산 위에서는 공기가 희박해서 ☐☐하기 어려워진다.

2 다음 문장의 밑줄 그은 부분을 대신할 수 있는 낱말을 쓰시오.

음식을 먹을 때에는 꼭꼭 씹어 먹어야 위장에서 (1)영양분을 몸에 흡수하기 쉬운 형태로 변화시키기 쉽다. 그래야 소장이나 대장에서 (2)영양소와 물을 몸으로 거두어들이기 편해진다. 제대로 씹지도 않고 허겁지겁 먹으면 쉽게 체하는 이유가 바로 여기에 있다.

(1) ☐☐시키기　　(2) ☐☐하기

3 동물의 체형을 이루고 몸을 지탱하는 뼈를 무엇이라고 합니까? ( )

① 혈관　② 골격　③ 근육
④ 신경　⑤ 피부

4 ( ) 안의 알맞은 말에 ○표 하시오.

(1) 허파는 (호흡 / 배설)을 하기 위한 신체 기관 중 하나이다.

(2) 다리 운동을 열심히 했더니 다리의 (골격 / 근육)이 제법 단단해졌다.

(3) 일반적으로 ①(동맥 / 정맥)은 ②(동맥 / 정맥)보다 혈관의 벽이 두껍다.

5 다음 [ ]에 들어갈 알맞은 속담은 어느 것입니까? ( )

> 아주 먼 옛날, 홀어머니를 모시고 사는 나무꾼이 있었습니다. 그날도 나무꾼은 깊은 산속에 나무를 하러 갔습니다. 한참을 나무 베느라 정신이 없는데, 호랑이가 나타난 것이 아니겠습니까?
> "어흥, 오늘 점심은 너로구나!"
> 무서운 호랑이가 큰 입을 벌리고 나무꾼에게 달려들었습니다. 나무꾼은 꼼짝도 못하고, 고스란히 잡아먹힐 것 같았습니다.
> 그때, 나무꾼은 한 가지 꾀를 내었습니다. 얼른 엎드려 호랑이에게 절을 공손히 하고,
> "아이고, 형님! 이제야 만나 뵙네요." 하고 말하였습니다.
> 호랑이는 갑자기 형님이란 소리에 어이가 없었는지,
> "이놈아, 사람이 나를 보고 형님이라니, 형님은 무슨 형님이냐?" 하고 대답하였습니다.
> 그러자 나무꾼이 시치미를 딱 떼고 능청스럽게 말을 이어갔습니다.
> "우리 어머니께선 늘 말씀하셨지요. 제 형이 어렸을 때 산에 갔다가 길을 잃고 말았는데, 결국 집으로 돌아오지 못하고 호랑이가 되었다고……. 어머니께서는 제가 산에서 그 호랑이를 만나거든 꼭 집으로 데려오라는 당부를 하셨습니다. 옛말에 [ ]고, 저는 형님을 보자마자 딱 제 형이라는 느낌이 왔습니다." 하고 눈물까지 글썽글썽해 보였습니다.
> 호랑이도 가만히 생각하니, 자신이 나무꾼의 형이었을지도 모른다는 생각이 들었습니다.

① 개천에서 용 난다 ② 등잔 밑이 어둡다 ③ 피는 물보다 진하다
④ 흐르는 물은 썩지 않는다 ⑤ 바늘로 찔러도 피 한 방울 안 난다

6 다음 관용 표현의 알맞은 뜻을 선으로 이으시오.

(1) 뼈를 묻다 •
(2) 살을 붙이다 •

• ① 마음속의 고통이 너무 심하다.
• ② 어떤 단체나 조직에서 평생 일하다.
• ③ 바탕에 여러 가지를 덧붙여 보태다.
• ④ 못 먹거나 심하게 앓거나 하여 지나치게 여위다.

7 '바늘로 찔러도 피 한 방울 안 난다'의 뜻은 무엇입니까? ( )

① 사람이 매우 단단하고 야무지게 생겼다.
② 열심히 하고 있는데도 더 빨리하라고 재촉한다.
③ 변변하지 못한 부모에게서 훌륭한 인물이 나기도 한다.
④ 어떤 것과 가까이 있는 사람이 도리어 그것에 대하여 잘 알기 어렵다.
⑤ 사람은 언제나 일하고 공부하며 단련하여야 시대에 뒤떨어지지 않는다.

#마음

Q. 그림과 이어지는 해시태그(#)를 보고 알맞은 어휘를 골라 ☐에 V표 하시오.

①

자존심 ☐ / 자긍심 ☐

#마음 #스스로를_높이는 #내가_최고 #품위_지키기 #굽히지_않기

②

경각심 ☐ / 경외심 ☐

#마음 #주의_깊게 #걱정하는 #조심 #미리_생각하는 #문제가_생기기_전에

③

동정심 ☐ / 동경심 ☐

#마음 #불쌍하게_여기는 #측은하게_여기는 #안타까운_마음 #도와주고_싶다

④

호기심 ☐ / 노파심 ☐

#마음 #지나친_걱정 #돌다리도_두들겨_보고_건너는 #노파의_마음×

정답 ① 자존심 ② 경각심 ③ 동정심 ④ 노파심

① 자존심

남에게 굽히지 아니하고 자신의 품위를 스스로 지키는 마음.

㉮ 그 선수는 자존심이 몹시 강한 사람이었다.

自  心
스스로 자 높을 존 마음 심
→ 자신을 높이는 마음

자긍심

스스로 자신을 믿으며 당당하게 생각하는 마음.

㉮ 네가 하는 일에 자긍심을 가져 봐.

自  心
스스로 자 자랑할 긍 마음 심
→ 자신을 자랑하는 마음

② 경각심

정신을 차리고 주의 깊게 살피어 경계하는 마음.
유의어 경계심

㉮ 우리 모두 교통 안전에 경각심을 가집시다.

경외심

공경하면서 두려워하는 마음. 유의어 증정

㉮ 이번 태풍을 겪으면서 경외심이 들 정도였다.

경각심 → 조심하자는 마음
경외심 → 두려워하는 마음

③ 동정심

남의 어려운 처지를 안타깝게 여기는 마음.

㉮ 누나는 동정심이 많아서 매달 기부를 합니다.

동경심

어떤 것을 간절히 그리워하여 그것만을 생각하는 마음.

㉮ 할아버지께서는 시골 생활에 대한 동경심이 크십니다.

④ 호기심

새롭고 신기한 것을 좋아하거나 모르는 것을 알고 싶어 하는 마음.

㉮ 우리 집 막내는 호기심이 무척 강합니다.

노파심

필요 이상으로 남의 일을 걱정하고 염려하는 마음.

㉮ 노파심에 하는 소린데, 외출할 때에는 꼭 가스 밸브를 잠가라.

Tip_
호기심은 아이처럼 신기한 것을 좋아하는 마음

Tip_
노파심은 마치 할머니가 자식들을 걱정하듯이 챙기는 마음

#마음 #속담

Q. 그림과 이어지는 해시태그(#)를 보고 알맞은 속담을 골라 ☐에 V표 하시오.

열 길 물속은 알아도 한 길 사람의 속은 모른다 ☐ / 겉 다르고 속 다르다 ☐

#마음 #표정에서_숨김 #얼굴은_웃지만_속으로는 #음험한_사람 #친해지고_싶지_않은

열 길 물속은 알아도 한 길 사람의 속은 모른다

사람의 속마음을 알기란 매우 힘들다는 것을 비유적으로 이르는 말.

열 길 물속은 알아도
→ 열 갈래로 갈라진 물줄기보다
한 길 사람의 속은 모른다
→ 사람의 마음을 알기 어렵다

겉 다르고 속 다르다

겉으로 드러나는 행동과 마음속으로 품고 있는 생각이 서로 달라서 사람의 됨됨이가 바르지 못함을 이르는 말.

겉 다르고 속 다르다
겉: 겉으로 드러나는 표정, 몸짓, 행동
속: 마음, 생각 등

비슷한 뜻의 사자성어

겉 표 / 속 리 / 아니 부 / 같을 동

표리부동

겉으로 드러나는 언행이 속마음과 다름.

예 표리부동한 사람이라고 오해받았다.

정답 겉 다르고 속 다르다

#마음 #사자성어

Q. 그림과 이어지는 해시태그(#)를 보고 알맞은 사자성어를 골라 ☐에 V표 하시오.

노심초사 ☐ / 반신반의 ☐

#마음 #걱정 #속이_쓰림 #애_타는_마음 #조마조마 #전전긍긍 #마음_둘_곳을_못_찾는

노심초사

몹시 마음을 쓰며, 애를 태움.

'노심초사' 하면 떠오르는 사자성어는?

'전전긍긍'이 생각나네.

• 전전긍긍: 몹시 두려워서 벌벌 떨며 조심함.

반신반의

얼마쯤 믿으면서도 한편으로는 의심함.

정답 노심초사

1 빈칸에 알맞은 말을 보기에서 골라 쓰세요.

보기

자존심　　동정심　　경각심　　호기심

(1) 길고양이를 보고 □□□이 들어서 집으로 데려왔다.

(2) 언제나 1등만 하던 보겸이가 2등을 하자 몹시 □□□ 상한 눈치였다.

(3) 우리 모두 □□□을 갖고 전염병이 퍼지지 않도록 더욱 조심해야 한다.

(4) 노벨상은 받은 그 과학자는 어려서부터 항상 □□□이 많았다고 하였다.

2 다음 문장의 빈칸에 들어갈 알맞은 말은 어느 것입니까? ……………………………… (　　　)

온갖 기암괴석들이 어우러진 웅장한 풍경을 바라보며, 여행자들은 대자연 앞에서 저절로 ______을 갖기 시작했다.

① 자긍심　② 경외심　③ 자존심　④ 호기심　⑤ 노파심

3 '경각심'의 뜻으로 알맞은 것은 무엇입니까? ……………………………… (　　　)

① 스스로 자신을 낮추고 비우는 마음.
② 남과 겨루어 이기거나 앞서려는 마음.
③ 남의 어려운 처지를 안타깝게 여기는 마음.
④ 정신을 차리고 주의 깊게 살피어 경계하는 마음.
⑤ 어떤 것을 간절히 그리워하여 그것만을 생각하는 마음.

4 (　) 안의 알맞은 말에 ○표 하시오.

(1) 앞으로 개인 정보 보호에 좀 더 (경외심 / 경각심)을 갖고 노력하겠습니다.
(2) 너무 겸손해도 좋지 않습니다. 스스로의 능력을 믿으며 (자존심 / 자긍심)을 가져 보세요.
(3) 수학여행을 떠나는 날, 어머니께서는 (호기심 / 노파심)에 자꾸 조심히 다녀오라고 하셨습니다.

5 게임 속에 있는 엄마를 본 서준이의 마음과 관련된 사자성어는 어느 것입니까? ( )

"이게, 이게 대체 어떻게 된 일이야!"
"내가 너희 엄마를 오브젝트로 만들어 게임 속으로 들여보냈어."
"오브젝트?"
"코딩 명령어로 움직일 수 있는 캐릭터나 사물이나 배경 같은 걸 오브젝트라고 해."
어처구니없어하는 서준이의 말에 엔트리봇은 빙글거리며 꼬박꼬박 대답을 해 주었다.
"그런데! 우리 엄마가 왜 게임 속에 있느냐고!"
"아까 네가 네 엄마, 게임 속에 넣고 싶다고 했잖아."
서준이는 기가 막혀 말이 안 나왔다. 자신의 뺨을 한 대 때려 보았다. 얼얼한 것으로 보아 이게 분명 꿈은 아닐 터였다.
"진짜, 우리 엄마는 아니지?"
"맞다니까?"
더 이상 티격태격할 것도 없이 서준이는 핸드폰을 꺼내어 엄마에게 전화를 걸었다.
"네 말 같은 거 안 믿어. 진짜 우리 엄마라면 전화를 받겠지."
신호가 울린 지 3번이 넘지 않았다. 게임 속 엄마 캐릭터가 바지에서 뭔가를 꺼내 들었다. 작아서 보이지는 않아도 핸드폰이라는 것은 어렵잖게 짐작할 수 있었다. 순간 서준이의 심장이 요동치며 손에서 핸드폰이 떨어졌다.
"끼약!"
엄마가 다시 비명을 지르고는 달리기 시작했다. 게임 속 엄마의 뒤에 좀비가 쫓아오고 있었다!

① 작심삼일 ② 아전인수 ③ 견물생심 ④ 반신반의 ⑤ 일편단심

6 '겉 다르고 속 다르다'와 비슷한 뜻을 가진 사자성어는 무엇입니까? ( )

① 마이동풍 ② 결초보은 ③ 추풍낙엽 ④ 낭중지추 ⑤ 표리부동

7 다음 속담의 뜻을 알맞게 설명한 친구는 누구입니까?

열 길 물속은 알아도 한 길 사람의 속은 모른다

은지: 하나만 알고 둘은 모른다는 뜻을 나타내는 속담이야.
유나: 하나를 가르쳐 주면 열 가지를 안다는 뜻의 속담이야.
민영: 사람의 속마음을 알기는 매우 어렵다는 것을 비유적으로 이르는 말이야.

( )

#선거

Q. 그림과 이어지는 해시태그(#)를 보고 알맞은 어휘를 골라 □에 V표 하시오.

① 

② 

③ 

④ 

정답 ① 유권자 ② 선거공약 ③ 유세 ④ 참정권

① **후보자**

유권자

선거에서 뽑혀 어떤 직위나 신분을 얻으려고 일정한 자격을 갖추어 나선 사람.

예 후보자들을 모시고 토론을 진행하겠습니다.

선거에서 투표할 권리를 가진 사람. 동의어 선거인

예 유권자들이 지지하는 후보가 누구인지 설문 결과를 보아 주십시오.

---

② **투표**

선거공약

선거를 하거나 찬성·반대를 결정할 때에 투표용지에 뜻을 표시하여 일정한 곳에 내는 일.

예 점심으로 무엇을 먹을지 투표를 시작했다.

선거에 나온 후보자가 자신이 뽑히면 어떤 일을 하겠다고 약속하는 것.

예 후보자는 세금을 줄이겠다는 선거공약을 내걸었다.

公 約
공공 공 약속할 약
공적으로 하는 약속

---

③ **여론**

유세

사회 여러 사람들의 공통된 의견.

예 여론조사 결과 기호 2번 후보의 인기가 가장 높았다.

선거에 나간 후보자가 자신을 뽑아 달라고 홍보하며 돌아다니는 일.

예 기호 1번 후보자는 선거 유세를 위해 끼니를 굶을 정도였다.

輿 論
수레 여 의논할 론
여러 사람들의 의견

선거 유세 중입니다!
기호 2번

---

④ **선거권**

참정권

선거에 참가하여 투표를 할 수 있는 권리.

예 성인이 된 뒤 처음으로 선거권을 행사하였다.

국민이 정치에 직접 또는 간접으로 참여하는 권리.

예 미국의 흑인들은 1960년대에 참정권을 얻었다.

Tip_
선거권은 선거에 참가하여 투표할 권리**를 뜻하고, 참정권은** 정치 활동에 참여할 권리**를 뜻함.**

#선거 #한자어

Q. 그림과 이어지는 해시태그(#)를 보고 알맞은 어휘를 골라 □에 V표 하시오.

민주주의 □ / 민족주의 □

#선거 #국민이_주인 #권력_분립 #삼권분립 #국민을_위해_일할_사람_뽑기 #소중한_한_표

민주주의

국민이 권력을 가지고 그 권력을 스스로 행사하는 제도. 또는 그런 정치를 목표로 하는 사상.

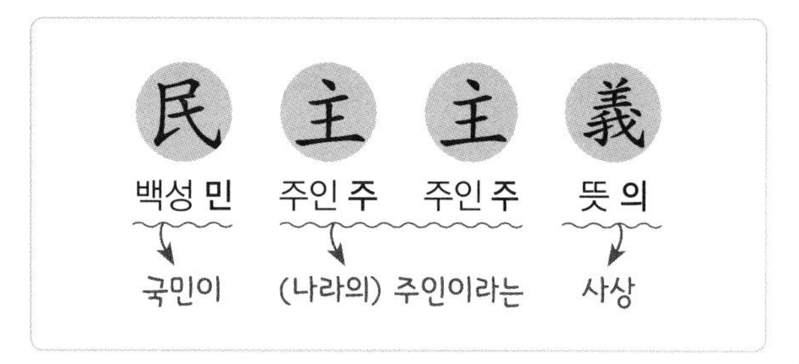

민족주의

민족 스스로의 독립과 통일을 가장 중요하게 여기는 사상.

정답 민주주의

#선거 #유세 #속담

Q. 그림과 이어지는 해시태그(#)를 보고 알맞은 속담을 골라 ☐에 V표 하시오.

가재는 게 편이요 초록은 한 빛이라 ☐ / 도랑 치고 가재 잡는다 ☐

가재는 게 편이요 초록은 한 빛이라

모양이나 형편이 서로 비슷하고 인연이 있는 것끼리 서로 잘 어울리고, 사정을 보아주며 감싸주기 쉬움을 비유적으로 이르는 말.

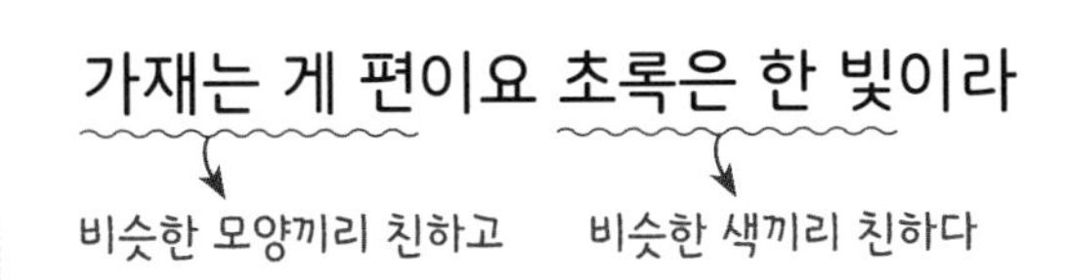

도랑 치고 가재 잡는다

① 일의 순서가 바뀌어 애쓴 보람이 나타나지 않음을 비유적으로 이르는 말. / ② 한 가지 일로 두 가지 이익을 봄을 비유적으로 이르는 말.

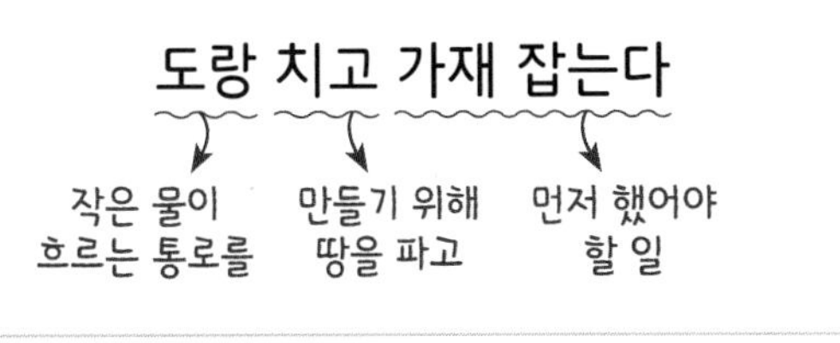

비슷한 뜻의 사자성어

일석이조

돌 한 개를 던져 새 두 마리를 잡는다는 뜻으로, 동시에 두 가지 이득을 봄을 이르는 말.

정답 가재는 게 편이요 초록은 한 빛이라

1 다음 뜻에 알맞은 낱말을 보기 에서 골라 쓰세요.

보기

후보자 유권자 여론 유세

(1) 사회 여러 사람들의 공통된 의견. ( )

(2) 선거에서 투표할 권리를 가진 사람. ( )

(3) 선거에서 뽑히려고 일정한 자격을 갖추어 나선 사람. ( )

(4) 선거에 나간 후보자가 자신을 뽑아 달라고 홍보하며 돌아다니는 일. ( )

2 ㉠ ~ ㉣ 에 들어갈 말을 알맞게 늘어놓은 것은 무엇입니까? ( )

㉠ 는 ㉡ 의 ㉢ 이/가 어떠한지 판단한 뒤에 ㉣ 을/를 합니다.

① ㉠-후보자 ㉡-유권자 ㉢-선거공약 ㉣-투표

② ㉠-후보자 ㉡-유권자 ㉢-투표 ㉣-선거공약

③ ㉠-유권자 ㉡-후보자 ㉢-투표 ㉣-선거공약

④ ㉠-유권자 ㉡-후보자 ㉢-선거공약 ㉣-투표

⑤ ㉠-유권자 ㉡-후보자 ㉢-투표 ㉣-유세 활동

3 다음 설명에 해당하는 것은 무엇입니까? ( )

국민이 권력을 가지고 그 권력을 스스로 행사하는 것.

① 자본주의 ② 민주주의 ③ 민족주의 ④ 개인주의 ⑤ 이기주의

4 '가재는 게 편이요 초록은 한 빛이라'의 뜻으로 알맞은 것에 ○표 하시오.

(1) 잘못을 저지른 쪽에서 오히려 남에게 성낸다. ( )

(2) 자기는 더 큰 흉이 있으면서 도리어 남의 작은 흉을 본다. ( )

(3) 모양이나 형편이 서로 비슷하고 인연이 있는 것끼리 서로 잘 어울린다. ( )

[5~6] 다음 이야기를 읽고 물음에 답하시오.

"마지막으로 반장을 뽑아야 하는데. 하고 싶은 사람?"
라온은 재빨리 손을 들었다. 반장을 해서 친구들과 선생님이랑 더 빨리 친해지고 싶었기 때문이다. 몇 명의 아이들이 더 손을 들었다. 그러자 선생님은 가장 첫 줄에 있는 학생을 가리키며 말했다.
"그럼 각자 왜 반장을 해야 하는지 설명해 볼까?"
그러자 가장 앞에 앉아 있던 학생이 망설임 없이 자리에서 일어났다.
"제가 반장을 해야 하는 이유는 제가 우리 반에서 가장 똑똑하기 때문입니다. 저는 이제까지 시험에서 백 점을 놓친 적이 없습니다."
박수가 터져 나왔다. 그러자 선생님은 다음 줄에 있는 학생을 가리켰다.
"저는 누구보다 용감합니다. ㉠전 세계 모든 바다, 사막, 정글을 모험해 본 제가 반장이 되면 용감하게 반을 이끌어 나갈 수 있습니다."
또 한 번 박수가 터져 나왔다. 점점 자신의 차례가 다가올수록 라온은 머리가 하얘지는 것만 같았다. 다른 학생들에 비해 자신은 특별한 점이 없었기 때문이다.
마침내 자신의 차례가 됐지만 라온은 일어서지도 못하고 자리에 앉아 있었다. 라온의 차례를 기다리는 반 친구들의 시선이 날카롭게 꽂혀 왔다. 그때 라온을 슬쩍 본 선생님이 물었다.
"혹시 지금 말하기 힘들면 반장 [㉡]할 때 해도 괜찮아. 준비해서 그때 할래?"
라온은 힘껏 고개를 끄덕였다. 한 고비를 넘겼다는 생각에 긴 한숨을 쉬었다. 하지만 답답하기는 마찬가지였다. 어떻게 아무런 장점도 없는 자신이 반장이 될 수 있겠는가? 쉬는 시간이 되자 라온은 화단에 앉아 속상함에 울음을 터뜨렸다.

5

㉠을 무엇이라고 합니까? ( )

① 선거 ② 투표 ③ 후보자 ④ 유권자 ⑤ 선거공약

6

[㉡]에 들어갈 알맞은 말은 어느 것입니까? ( )

① 여론 ② 선거 ③ 선거공약 ④ 민주주의 ⑤ 민족주의

7

속담 '도랑 치고 가재 잡는다'의 알맞은 뜻을 두 가지 찾아 기호로 쓰시오.

㉠ 무슨 일에나 미리 예측을 잘함을 비유적으로 이르는 말.
㉡ 한 가지 일로 두 가지 이익을 봄을 비유적으로 이르는 말.
㉢ 일의 순서가 바뀌었기 때문에 애쓴 보람이 나타나지 않음을 비유적으로 이르는 말.
㉣ 얕은 수를 써서 남을 속이려 하나 거기에 속는 사람이 없음을 비유적으로 이르는 말.

(,)

누구나 100점 TEST

1 다음 설명에 해당하는 낱말은 어느 것입니까? ( )

> 전기문에 나오는 인물이 해낸 훌륭한 일을 가리키는 말.

① 실적 ② 업적 ③ 궤적
④ 과적 ⑤ 추적

2 ○○에 들어갈 알맞은 말을 쓰시오.

> 이순신 전기문을 읽으면서 인물이 추구하는 ○○가 무엇일지 생각해 보았다. 이순신 장군은 위기에 처한 나라를 위해 목숨을 아끼지 않는 용기를 추구했던 것 같다.

( )

3 오른쪽 그림을 보고 떠올릴 수 있는 말은 어느 것입니까? ( )

① 핼쓱하다
② 핼쑥하다
③ 헬슥하다
④ 헬쓱하다
⑤ 헬쑥하다

4 다음 그림을 보고 떠올릴 수 있는 사자성어의 기호를 하시오.

㉠ 와신상담 ㉡ 파안대소
㉢ 염화미소 ㉣ 절차탁마

( )

5 밑줄 친 낱말 중 문장에 어울리지 <u>않는</u> 것은 어느 것입니까? ( )

① <u>동맥</u>은 피부에서 푸른색으로 보인다.
② 뼈를 감싸는 힘줄과 살을 통틀어 <u>근육</u>이라고 한다.
③ 동물의 체형을 이루고 몸을 지탱하는 뼈를 <u>골격</u>이라고 한다.
④ 갑자기 정신을 잃고 쓰러진 사람에게 인공 <u>호흡</u>을 실시하였다.
⑤ <u>배설</u>은 소화하고 흡수한 뒤 생긴 노폐물을 몸 밖으로 내보내는 것이다.

6 다음 속담의 빈칸에 공통으로 들어갈 말은 무엇입니까? ( )

- ☐은/는 물보다 진하다
- 바늘로 찔러도 ☐ 한 방울 안 난다

① 땀 ② 피 ③ 눈물
④ 국물 ⑤ 콧물

7 낱말의 뜻에 대하여 바르게 설명한 친구는 누구입니까?

우식: 주의 깊게 살피며 경계하는 마음을 '경외심'이라고 해.
소담: 남의 어려운 처지를 안타깝게 여기는 마음을 '동정심'이라고 해.
창경: 새롭고 신기한 것을 좋아하는 마음을 '노파심'이라고 해.
종수: 어떤 것을 간절히 그리워하여 그것만을 생각하는 마음을 '자긍심'이라고 해.

( )

8 다음 뜻을 가진 사자성어는 무엇입니까? ( )

몹시 마음을 쓰며, 애를 태움.

① 반신반의 ② 노심초사
③ 새옹지마 ④ 과유불급
⑤ 맥수지탄

9 그림 ㉠과 ㉡을 보고 떠올릴 수 있는 말에 ○표 하시오.

(1) 민족주의 ( )
(2) 민주주의 ( )
(3) 개인주의 ( )

10 다음 속담의 알맞은 뜻을 찾아 기호로 쓰시오.

가재는 게 편이요 초록은 한 빛이라

㉠ 한 가지 일로 두 가지 이익을 봄을 비유적으로 이르는 말.
㉡ 일의 순서가 바뀌어 애쓴 보람이 나타나지 않음을 비유적으로 이르는 말.
㉢ 모양이나 형편이 서로 비슷한 것끼리 잘 어울리고, 서로 감싸 주기 쉬움을 비유적으로 이르는 말.

( )

창의·융합·코딩 ❶

어휘 플러스

허파에 바람 들다

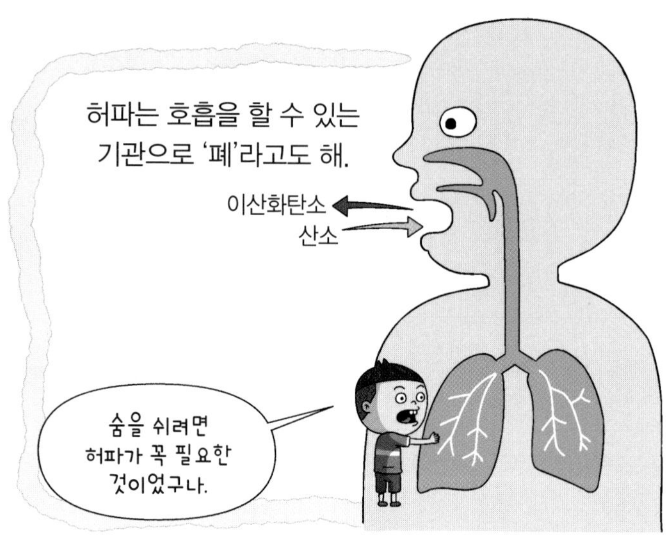

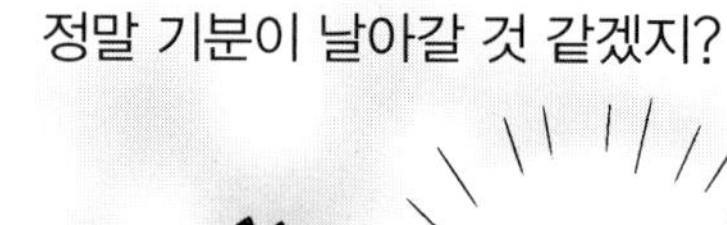

야! 나 용돈 다 써서
그러는데 천 원만!
계속 실없이 웃기도 하겠지.
여기 받아.
히히히, 안 갚아도 돼.
왜 저러지? 이상해!

'허파에 바람 들다'는 실없이 행동하거나
지나치게 웃는다는 말이야.
사랑을 하니
온 세상이 아름답구나!
엄마! 쟤 허파에
바람 들었나 봐요.
아까부터 계속 저래!
웃는 모습이
귀엽기만 한걸?

현서야, 안녕?
우리 사귀는 것 맞지?
뭐?

갑자기 그게
무슨 소리야? 우리가
왜 사귀니?

이번에도
천 원만 줄래?
저리 가!
그럼 그렇지.
원래대로 돌아왔네.

2
주

창의·융합·코딩 ❷

사고 쑥쑥

1

친구들이 주고받은 다음 대화를 읽고, ㉠과 ㉡에 들어갈 알맞은 말을 글자 칸에서 찾아 각각 쓰세요.

인	노	기	신	힌	문
반	슬	심	환	사	유
의	지	람	초	형	반

㉠ (　　　　　　　　) ㉡ (　　　　　　　　)

2

다음 단서를 보고 정답이 있는 칸으로 이동하려고 해요. 자신이 있는 위치에서 이동해야 할 방향을 알맞게 말한 사람을 쓰세요.

이 사자성어는 무엇일까요?

단서 ❶
숫자가 들어갑니다.

단서 ❷
‘○○○○으로’ 형태로 쓰입니다.

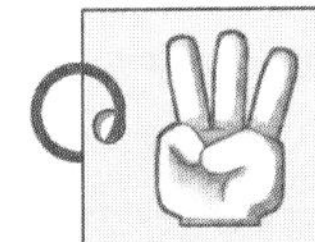

단서 ❸
위험한 고비를 넘겼을 때 사용하는 말입니다.

	필사즉생		삼고초려	
노심초사		구사일생		반신반의
	민주주의		민족주의	

↑ 위로 한 칸
← 왼쪽으로 한 칸
→ 오른쪽으로 한 칸
↓ 아래로 한 칸

▲ 솔이

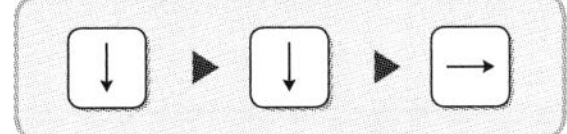

▲ 봄이

▲ 마이

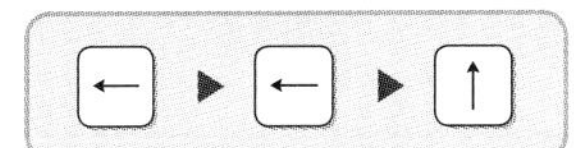

(　　　　　　　　)

창의·융합·코딩 ③

논리 탄탄

1

보물을 찾기 위해 비밀의 방에 들어왔어요. ❶번부터 낱말의 뜻에 맞게 따라가면 보물이 들어 있는 방을 찾을 수 있어요. 보물이 들어 있는 방은 몇 번인지 쓰세요.
(단, 뜻이 옳다고 생각하면 ➡, 틀리다고 생각하면 ➡ 화살표를 따라갑니다.)

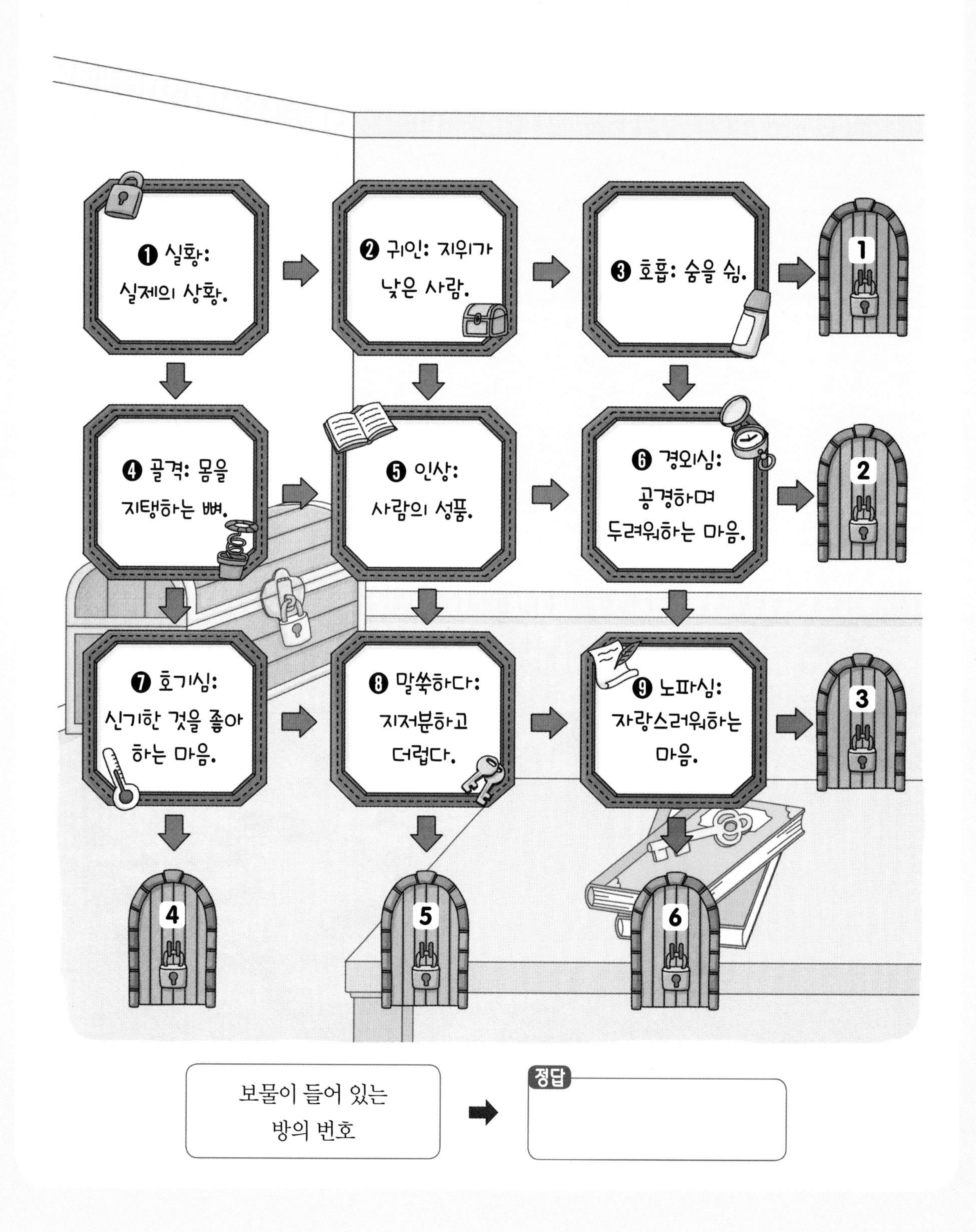

보물이 들어 있는 방의 번호 ➡ 정답

2 다음과 같이 단계 에 따라 입력되는 수나 글자가 바뀌는 기계가 있습니다. 각 수가 단계 를 통과해 나오는 수를 쓰고, 표 1을 보고 그 수에 해당하는 어휘를 찾아 쓰시오.

단계 1 백의 자리 숫자가 짝수이면 +100, 홀수이면 −100을 합니다.

단계 2 천의 자리 숫자가 일의 자리 숫자보다 작으면 두 숫자의 자리를 바꾸어 보내고, 그렇지 않으면 그대로 보냅니다.

단계 3 단계 2 에서 온 수에 해당하는 낱말을 씁니다.

단계 4 글자 수가 더 많은 낱말을 씁니다.

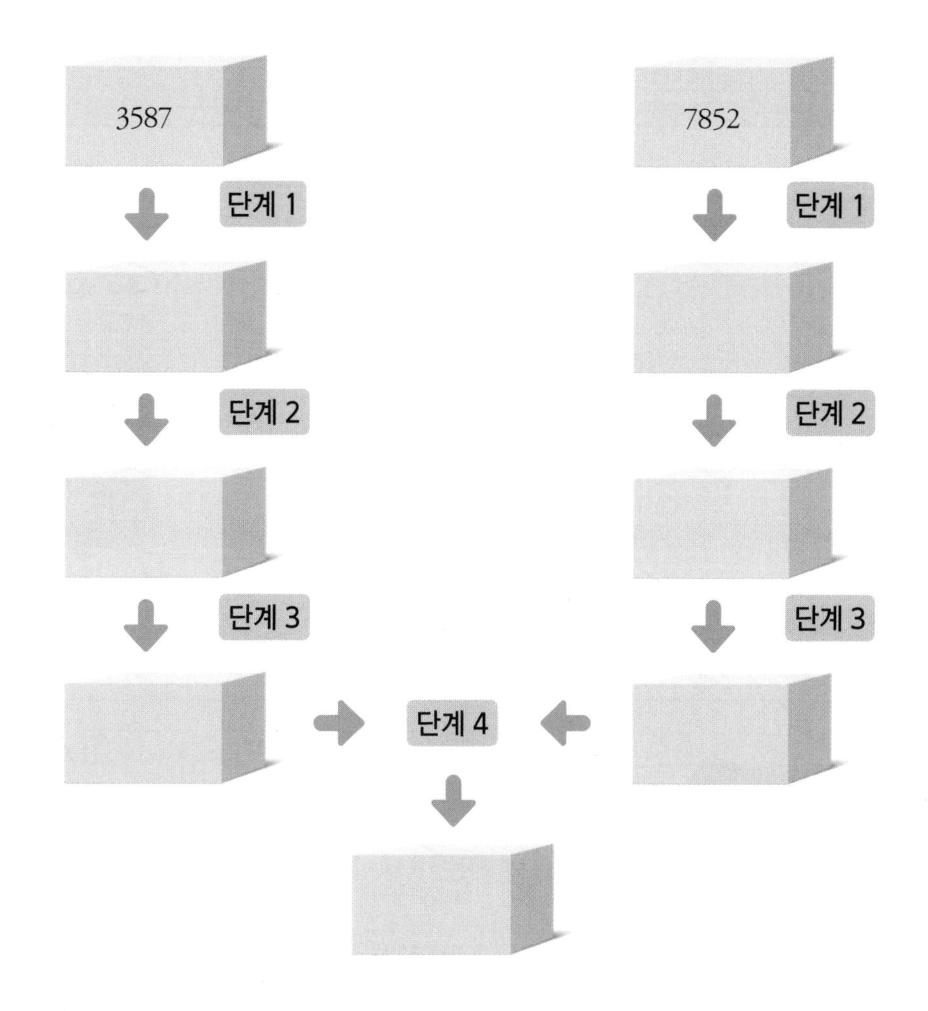

표 1

코드 번호	6534	2567	7952	1125	7483
낱말	가치	민족주의	자존심	경각심	민주주의

3주에는 무엇을 공부할까? ①

1일 국어 > 생각

견해 / 편견
표현 / 반박
문득 / 어느새
무난하다 / 특별하다

속담 글 속에도 글 있고 말 속에도 말 있다 / 길고 짧은 것은 대어 보아야 안다
사자성어 유일무이 / 기고만장

2일 생활 > 한옥

초가집 / 기와집
아궁이 / 온돌
서까래 / 대들보
댓돌 / 주춧돌

속담 낙숫물이 댓돌 뚫는다 / 기와 한 장 아끼다가 대들보 썩힌다
사자성어 동량지재 / 자수성가

3일 과학 > 성질

산성 / 염기성
담수 / 해수
농도 / 점도
묽다 / 되다

속담 흐르는 물은 썩지 않는다 / 윗물이 맑아야 아랫물이 맑다
관용어 물 건너가다 / 물 쓰듯 하다

4일 생활 > 도구

등잔 / 지게
절구 / 맷돌
키 / 체
호미 / 쟁기

속담 등잔 밑이 어둡다 / 호미로 막을 것을 가래로 막는다

사자성어 풍전등화 / 목불식정

5일 사회 > 가정의례

명절 / 절기
차례 / 성묘
혼례 / 환갑
돌 / 배냇저고리

속담 떡 본 김에 제사 지낸다 / 남의 잔치에 감 놓아라 배 놓아라 한다

관용어 떡이 생기다 / 화촉을 밝히다

어휘 플러스

'눈에 쌍심지를 켜다'는 무슨 뜻일까?

3주

표현

반박

*반박은 의견에 반대하는 것!

표현과 반박은 어떻게 다를까요?

1 다음 중 성규의 의견에 대해 반박을 하고 있는 친구는?

성규: 나는 초등학생에게 스마트폰이 필요하다고 생각해.

봄이	솔이
나도 스마트폰은 초등학생에게 꼭 필요하다고 생각해. 인터넷 강의를 간편하게 들을 수 있기 때문이야.	초등학생에게 스마트폰은 필요하지 않다고 생각해. 스마트폰이 끊임없이 울려대면 오히려 공부에 방해가 될 거야.

( )

호미로 막을 것을 가래로 막는다

*일을 미루지 말자!

왜 호미로 막을 것을 가래로 막는다고 하였을까?

2 '호미로 막을 것을 가래로 막는다'의 뜻으로 알맞은 것은 무엇입니까? ( )

① 힘든 일이 지나가면 즐거운 일이 온다.

② 한 가지 일을 해서 두 가지 이득을 보다.

③ 일이 작을 때에 처리하지 않아서 결국 나중에는 쓸데없이 큰 힘을 들이게 된다.

◐ 정답과 풀이 9쪽

해수

담수

*해수는 바다에 있는 짠물

바닷물은 해수일까요, 담수일까요?

3 빈칸에 들어갈 알맞은 말에 ○표 하시오.

- 담수어 : 민물에 사는 물고기
- ☐☐☐ : 바다에 사는 물고기

(해수어 / 수해어)

풍전등화

*풍전등화: 바람앞의 등불

풍전등화는 무슨 뜻일까요?

4 '풍전등화'의 뜻으로 알맞은 것은 무엇입니까? .... (　　　　　)

① 매우 위태롭고 불안한 상황

② 나날이 자라고 발전하는 모습

③ 사회의 중심이 될 훌륭한 인재

#생각

Q. 그림과 이어지는 해시태그(#)를 보고 알맞은 어휘를 골라 □에 V표 하시오.

① 견해 □ / 편견 □

#생각 #고정_관념 #색안경 #부정적 #싫어요

② 표현 □ / 반박 □

#생각 #나타내기 #마음을_드러내다 #묘사

③ 문득 □ / 어느새 □

#생각 #갑자기 #반짝_떠올랐어 #불현듯

④ 무난하다 □ / 특별하다 □

#생각 #독특 #비범 #남다르다 #남들과_다른

정답 ① 편견 ② 표현 ③ 문득 ④ 특별하다

① **견해**

물건이나 상황에 대한 자기의 의견이나 생각.

예 그 문제에 대한 내 견해는 좀 달라.

편견

공정하지 못하고 한쪽으로 치우친 생각.

예 잘못된 믿음이나 확신이 굳어지면 편견을 갖게 된다.

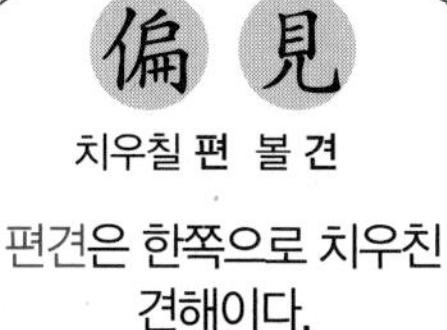

---

② **표현**

생각이나 느낌을 말이나 글, 행동을 통해 나타냄.

예 편지를 통해 내 감정을 솔직하게 표현했다.

반박

어떤 의견이나 주장에 반대함.

예 상대방의 잘못된 주장에 대해 반박했다.

Tip_
상대방이 '표현'한 의견에 대하여 반대되는 견해를 표현하는 것이 '반박'이다.

---

③ **문득**

생각이나 느낌이 갑자기 떠오르는 모양.

예 밤이 되자 문득 추억이 하나 떠올랐다.

어느새

어느 틈에 벌써.

예 동생이 어느새 초등학생이 되었다.

Tip_
'어느새'는 '어느 틈에 벌써'라는 뜻으로, 지나온 시간이 빠르게 느껴질 때 쓸 수 있는 말이다.

---

④ **무난하다**

큰 문제나 어려움이 없다.

예 옆 반과의 축구 경기에서 무난하게 승리했다.

無 難 — 어려움이 없다
없을 무 어려울 난

특별하다

보통과 구별되게 다르다.

예 나만의 특별한 재능을 찾아보자.

特 別 — 구별되게 다르다
특별할 특 나눌 별

#생각 #속담

Q. 그림과 이어지는 해시태그(#)를 보고 알맞은 속담을 골라 ☐에 V표 하시오.

글 속에도 글 있고 말 속에도 말 있다

글이나 말 속에는 표현되지 않은 더욱 다양하고 깊은 뜻이 담겨 있다는 말. 즉 숨은 의미까지 잘 파악하라는 뜻.

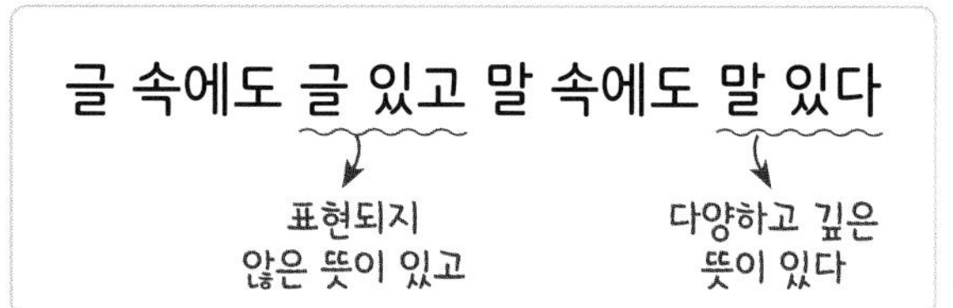

비슷한 속담으로는 숨겨진 뜻까지 잘 헤아려서 깊게 이해하라는 '말 속에 뜻이 있고 뼈가 있다'도 있어!

길고 짧은 것은 대어 보아야 안다

크고 작고, 이기고 지고, 잘하고 못하는 것은 실제로 겪어 보기 전까지는 확실히 결과를 예측할 수 없다는 뜻.

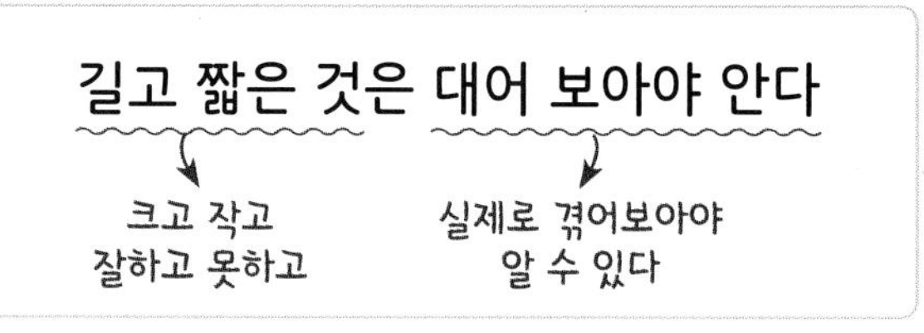

거북이가 달리기 경주에서 토끼를 이길 줄 누가 알았겠어?

역시 길고 짧은 것은 대어 보아야지?

정답 길고 짧은 것은 대어 보아야 안다

#생각 #사자성어

Q. 그림과 이어지는 해시태그(#)를 보고 알맞은 사자성어를 골라 ☐에 V표 하시오.

유일무이

둘도 없는 하나뿐이라는 말. 즉 특별하다는 뜻.

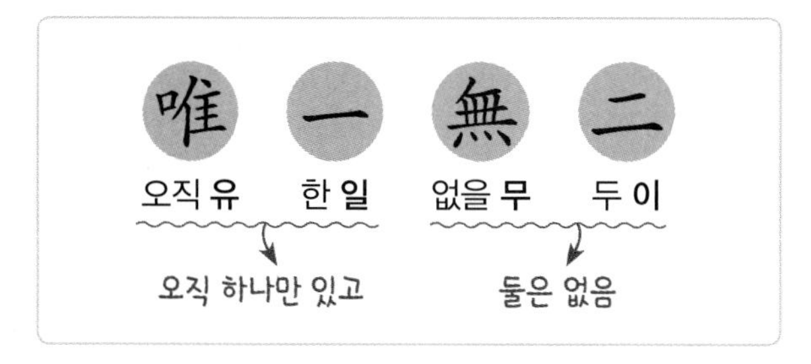

불국사는
유일무이한
우리의 문화재야.

기고만장

기운이 아주 높게 뻗었다는 말. 즉 자신의 성과에 대해 아주 자랑스럽게 여긴다는 뜻.

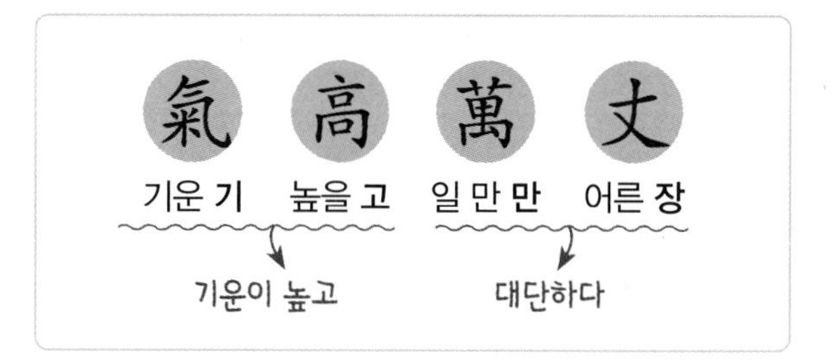

비슷한 뜻의 사자성어

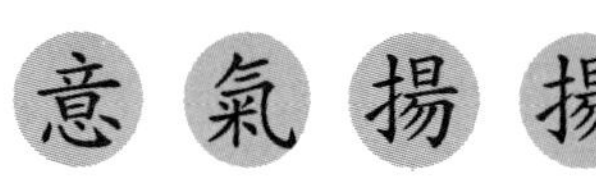

뜻 의 기운 기 날릴 양 날릴 양

의기양양

우쭐거리며 매우 자랑스럽게 행동함.

정답 유일무이

1 빈칸에 알맞은 말을 보기에서 골라 쓰시오.

보기

반박 문득 견해 표현

(1) 토의를 하며 □□의 차이를 좁혀나갔다.

(2) 노래를 듣다가 □□ 과거의 기억이 떠올랐다.

(3) 어버이날을 맞아 부모님께 빨간 카네이션을 달아드리며 감사함을 □□했다.

(4) 상대방의 의견에 대해 □□할 때에는 말싸움으로 번지지 않게 주의해야 한다.

2 다음 중 '편견'의 뜻으로 가장 알맞은 것은 어느 것입니까? ( )

① 긍정적인 태도.

② 생각을 글로 표현함.

③ 한쪽으로 치우친 생각.

④ 남들과 구별되게 다르다.

⑤ 생각이나 느낌 따위가 갑자기 떠오르는 모양.

3 다음은 '토론'에 대한 설명입니다. 첫 자음자와 뜻을 살펴보고 ❶과 ❷에 들어갈 알맞은 낱말을 쓰시오.

토론

토론은 어떤 문제에 대하여 여러 사람이 각각 의견을 말하며 논의하는 것을 말한다. 찬성과 반대의 입장으로 나뉘어 서로의 ❶(ㄱ)(ㅎ)를 주고받는다. 상대편의 주장에 대해 ❷(ㅂ)(ㅂ)하며 반론을 펼치는 것도 토론의 과정이다.

❶ (ㄱ)(ㅎ): 물건이나 상황에 대한 자기의 의견이나 생각.

❷ (ㅂ)(ㅂ): 어떤 의견이나 주장에 반대함.

◐ 정답과 풀이 9쪽

4 **밑줄 그은 인물의 대사에서 떠올릴 수 있는 사자성어는 무엇입니까?** ( )

조선에서 가장 글씨를 잘 쓰기로 이름났던 한석봉은 우리나라 대표 서예가로 꼽힙니다. 한석봉은 뛰어난 글씨체뿐만 아니라 어머니와의 유명한 일화로도 잘 알려져 있습니다. 한석봉이 최고의 명필로 성장할 수 있었던 것은 어머니의 가르침과 헌신이 있었기 때문이라고 전해지는데요. 한석봉의 어머니는 한석봉에게 집이 아닌 절에서 10년간 학업에만 매진할 것을 당부했습니다. 이에 한석봉은 굳은 결심을 하고 집을 나섰다고 합니다.

하지만 3년이 지나고 한석봉은 한밤중에 집으로 돌아오게 됩니다. 한석봉은 반가운 마음에 어머니께 달려갔지만 어머니는 한석봉에게 돌아온 이유를 물었습니다. 한석봉은 자신만만한 목소리로 "제 실력은 이미 완벽합니다. 더 이상 배울 것이 없습니다."라고 답했습니다. 이 말을 들은 어머니는 그를 일깨우기 위해 대결을 제안했습니다. 불을 끈 뒤, 한석봉은 글씨를 쓰고, 어머니는 떡을 썰어 실력을 비교해 보자는 것이었습니다.

불을 켜고 보니 도마 위에는 어머니의 떡이 가지런하게 썰려 있었지만, 한석봉의 글씨는 비뚤비뚤하고 크기도 제각각이었습니다. 어머니의 가르침으로 자신의 태도에 부끄러움을 느낀 한석봉은 다시 마음을 다잡고 노력하여 조선 최고의 명필이 되었다고 합니다.

① 일석이조　② 망연자실　③ 기고만장　④ 근묵자흑　⑤ 유일무이

5 **다음 속담과 관련 있는 설명을 선으로 이으시오.**

(1) 길고 짧은 것은 대어 보아야 안다 • 　• ① 능력의 차이는 직접 겪어보아야 제대로 알 수 있다.

(2) 글 속에도 글 있고 말 속에도 말 있다 • 　• ② 겉만 보고 판단하지 않고 숨겨진 속뜻을 잘 파악해야 한다.

6 **다음 밑줄 그은 사자성어가 잘못 쓰인 것은 무엇입니까?** ( )

① 민지는 나의 유일무이한 친구이다.
② 너는 뭘 믿고 그렇게 기고만장이야?
③ 드디어 나에게도 기고만장한 기회가 왔다.
④ 벼는 익을수록 고개를 숙인다고, 너는 그 기고만장한 태도를 버려야 해.
⑤ 유일무이한 사찰인 불국사는 그 가치를 인정받아 유네스코 세계문화유산에 등재되었다.

#한옥

Q. 그림과 이어지는 해시태그(#)를 보고 알맞은 어휘를 골라 ☐에 V표 하시오.

① 초가집 ☐ / 기와집 ☐

#한옥 #기왓장 #전통가옥 #양반집 #기와지붕

② 아궁이 ☐ / 온돌 ☐

#한옥 #전통 #바닥을_따뜻하게 #뜨끈뜨끈 #아랫목

③ 서까래 ☐ / 대들보 ☐

#한옥 #기둥을_받쳐_주는 #나무 #기초공사 #튼튼

④ 댓돌 ☐ / 주춧돌 ☐

#한옥 #돌 #초석 #받침돌 #돌계단 #가지런히_신발_정리

정답 ① 기와집 ② 온돌 ③ 대들보 ④ 댓돌

① 초가집

짚으로 지붕을 만들어 지은 우리나라의 옛집.

예 농민들은 주로 초가집에서 살았다.

기와집

기와로 지붕을 만들어 지은 우리나라의 옛집.

예 기와집의 지붕은 불에 잘 타지 않는다는 장점이 있다.

② 아궁이

한옥 부엌에 있는 솥과 방에 불을 지피기 위하여 만든 구멍.

예 아궁이에 불을 넣고 솥에 밥을 지었다.

온돌

아궁이의 열기가 방바닥 아래를 통과하며 방을 따뜻하게 만드는 장치.

예 온돌은 한국의 전통적인 난방법으로 열의 효율이 좋다.

아궁이에서 지핀 불이 온돌로 전달돼!

③ 서까래

한옥에서 지붕을 받쳐주는 갈비뼈 모양의 나무.

예 제비가 처마 밑의 서까래에 집을 지었다.

대들보

한옥의 기둥과 기둥 사이에 놓인 큰 나무.

예 대들보는 서까래와 함께 지붕의 무게를 받아서 기둥에 전달한다.

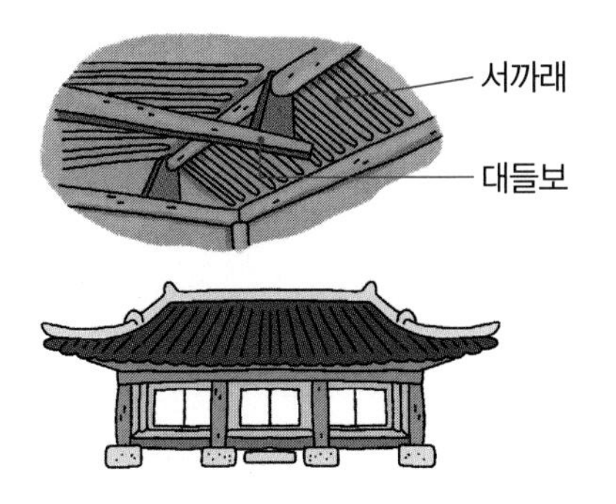

④ 댓돌

한옥에 올라가고 내려갈 수 있게 놓은 돌계단.

예 댓돌에 신발을 벗어 두고 마루로 올라갔다.

주춧돌

한옥의 기둥 밑에 놓인 집의 기초가 되는 돌.

예 주춧돌은 기둥을 받쳐서 힘을 땅에 전달하는 돌로 초석이라고도 한다.

Tip_

건물의 기둥을 세우기 위해 필요한 '주추'는 일의 바탕을 비유적으로 표현할 때에도 쓰인다.

예 기초 과학은 학문의 주추이다.

#한옥 #속담

Q. 그림과 이어지는 해시태그(#)를 보고 알맞은 속담을 골라 □에 V표 하시오.

낙숫물이 댓돌 뚫는다 □ / 기와 한 장 아끼다가 대들보 썩힌다 □

#한옥 #소탐대실 #작은_것_아끼려다_큰_것_잃었네 #쓸_때는_쓰자

낙숫물이 댓돌 뚫는다

지붕 밑에서 떨어지는 물로도 큰 댓돌이 깎이는 것처럼, 작은 힘도 모이면 큰 결과를 낼 수 있다는 말.

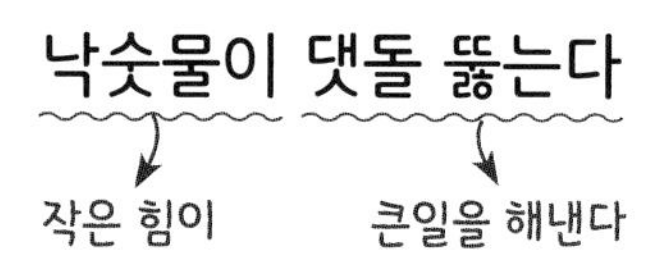

너 이번 노래 대회는 정말 열심히 준비하는구나?

낙숫물이 댓돌 뚫는 광경을 내가 직접 보여주겠어!

기와 한 장 아끼다가 대들보 썩힌다

기와 한 장을 아끼다가 빗물로 결국 대들보가 썩어서 집이 무너지는 것처럼, 아주 사소한 것을 아끼면 결국 큰 손해를 볼 수 있다는 말.

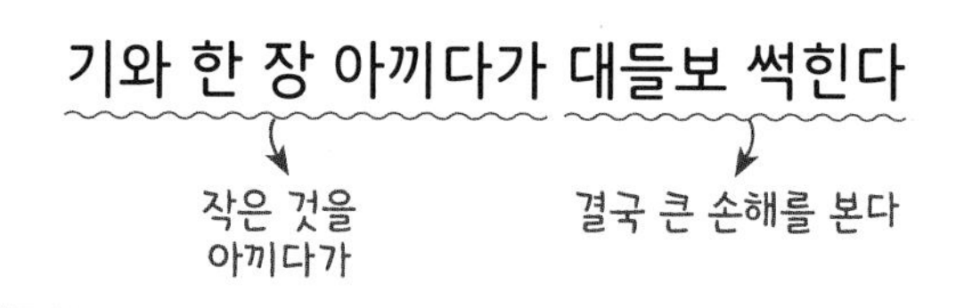

아끼는 것도 좋지만, 오히려 아끼는 것이 독이 될 때도 있지.

맞아. 그래서 기와 한 장 아끼다가 대들보 썩힌다는 말도 있잖아.

정답 기와 한 장 아끼다가 대들보 썩힌다

#한옥 #사자성어

Q. 그림과 이어지는 해시태그(#)를 보고 알맞은 사자성어를 골라 ☐에 V표 하시오.

동량지재 ☐ / 자수성가 ☐

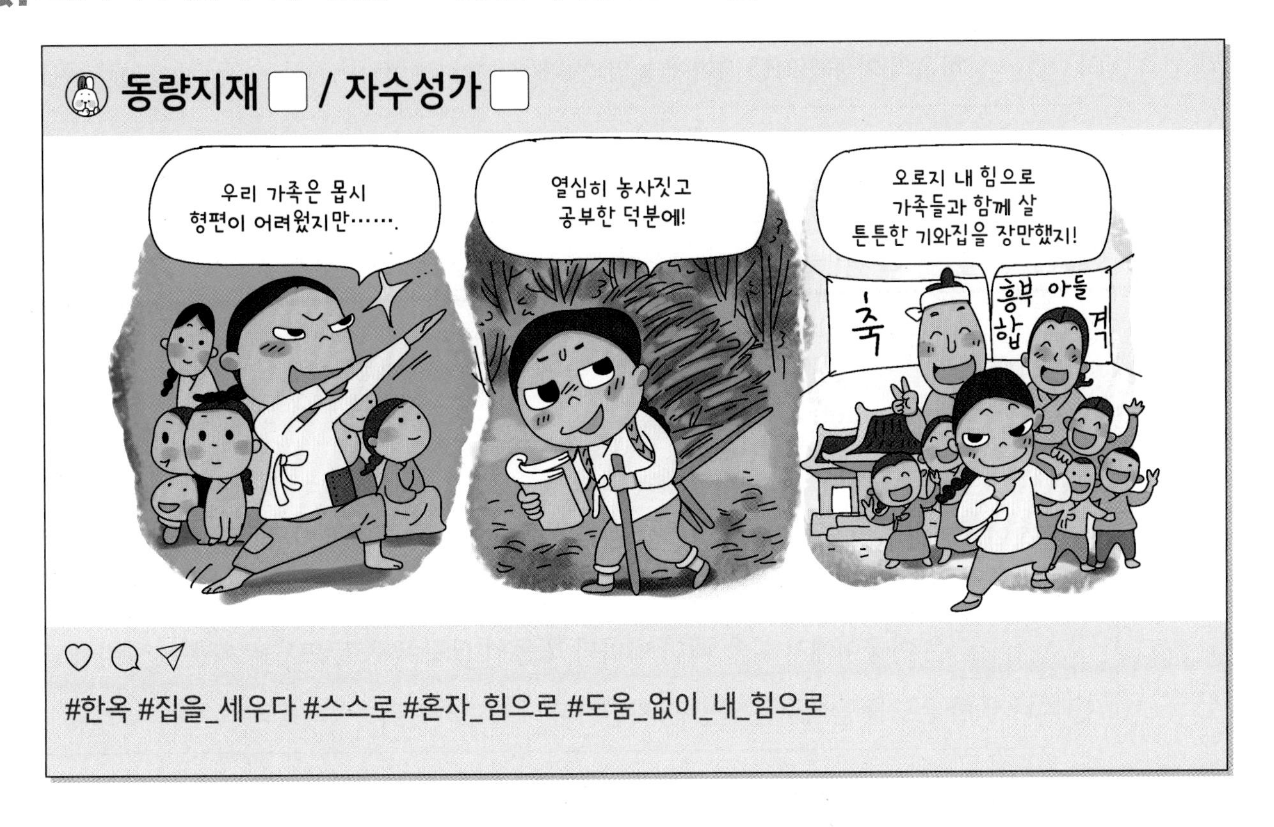

#한옥 #집을_세우다 #스스로 #혼자_힘으로 #도움_없이_내_힘으로

동량지재

건물에서 기둥이 중요한 것처럼, 사회나 가정의 중심이 될 만한 훌륭한 인재를 뜻하는 말.

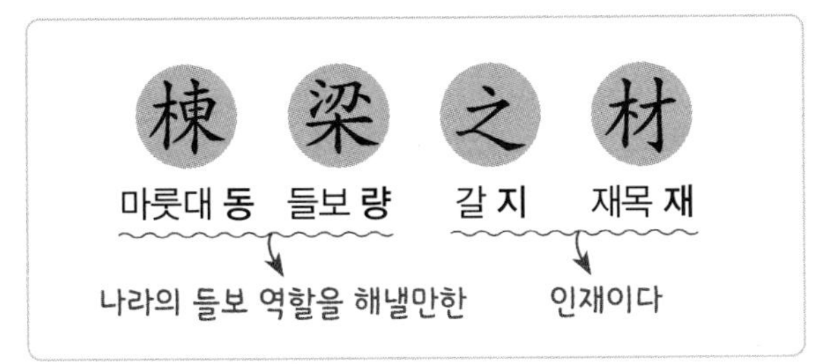

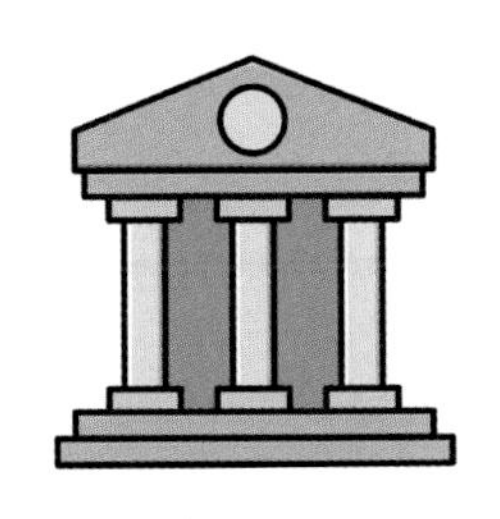

집에서 기둥이 얼마나 중요한지는 다들 알지?

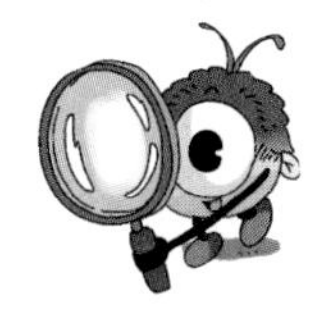

자수성가

혼자만의 힘으로 큰일을 해내거나 집을 일으켜 세운다는 뜻.

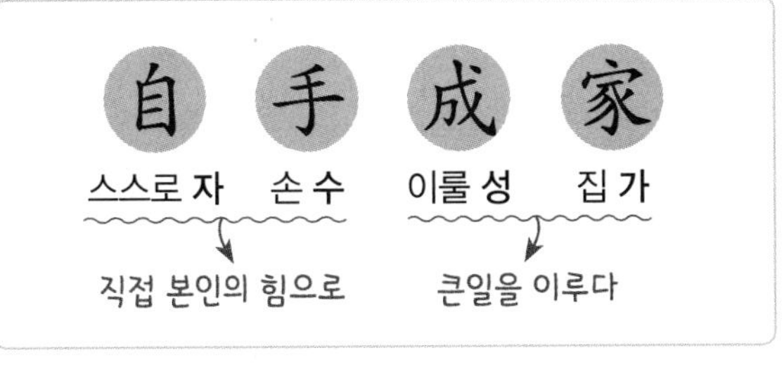

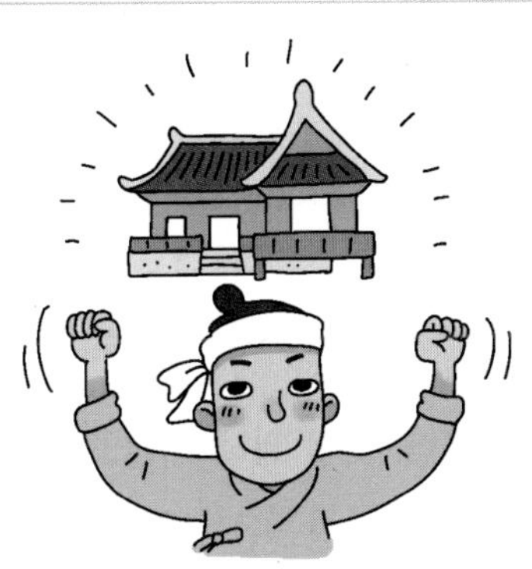

정답 자수성가

1 다음 한옥과 관련된 낱말의 뜻을 알맞게 이으시오.

(1) 한옥의 기둥과 기둥 사이에 놓인 큰 나무. •　　　　• ① 주춧돌

(2) 한옥의 기둥 밑에 놓인 집의 기초가 되는 돌. •　　　　• ② 아궁이

(3) 한옥 부엌에 있는 솥과 방에 불을 지피기 위하여 만든 구멍. •　　　　• ③ 대들보

2 다음 문장의 빈칸에 들어갈 알맞은 말에 ○표 하시오.

□□은 아궁이에서 불을 때면 방바닥의 돌이 달구어지고, 뜨거운 기운이 방바닥 전체를 지나서 방 온도를 높여주는 난방 장치입니다.

(댓돌 / 온돌)

3 다음 밑줄 그은 낱말이 알맞게 쓰인 문장에 ○표 하시오.

(1) 주춧돌은 한옥에서 지붕을 받쳐주는 갈비뼈 모양의 나무를 말한다. (　　　　)

(2) 주춧돌은 한옥의 기둥 아래에 놓이는 기초가 되는 돌로, 초석이라고도 한다. (　　　　)

4 다음 밑줄 그은 낱말 중에서 쓰임이 잘못된 것은 어느 것입니까? .... (　　　　)

① 기와집은 고풍스러운 멋이 있다.

② 농사를 짓는 백성들은 주로 초가집에서 살았다.

③ 한옥을 짓기 위해 집터를 다듬고 주춧돌을 놓았다.

④ 집을 짓기 위해 대들보로 쓸 만한 나무를 찾아 나섰다.

⑤ 우리 조상들은 댓돌 덕분에 겨울을 따뜻하게 보낼 수 있었다.

5 **다음 이야기를 읽고 떠올릴 수 있는 속담은 무엇입니까?** ( )

"방학 동안 있었던 가장 의미 있는 일에 대해서 누가 먼저 발표해 볼까?"
선생님의 말씀에 떠들고 있던 아이들이 모두 조용해졌다. 하지만 얼마 지나지 않아 첫 지원자로 지윤이가 손을 들었다. 지윤이는 매사에 늘 열정적이다. 숙제도, 발표도 심지어는 놀 때도 언제나 지윤이가 가장 열심이다.
"역시 우리 지윤이! 그래. 지윤이가 먼저 나와서 발표해 보자."
앞에서 두 번째 줄에 앉아 있던 지윤이는 당당한 걸음으로 자신 있게 교탁까지 걸어 나왔다. 첫 순서를 피했다는 안도감에 숨을 돌리는 친구도 있었고, 지윤의 절친한 친구인 민서는 활짝 웃으며 박수를 쳤다. 나도 방학 동안 지윤이가 뭘 했는지 문득 궁금해졌다.
"다들 1만 시간의 법칙이라고 들어보셨나요? 1만 시간의 법칙은 유명한 미국의 한 학자가 말한 법칙입니다. 누구나 1만 시간을 투자하면 전문가가 될 수 있다는 법칙이죠. 저는 이번 방학 동안 1만 시간은 아니지만, 100시간의 법칙에 도전했습니다. 매일 세 시간씩 피아노 연습을 하기로 다짐했고, 그 다짐을 매일 완벽하게 지켰습니다. 방학 동안 꾸준히 피아노 연습을 한 덕분에, 전국 초등학생 음악 경연 대회에서 1등을 할 수 있었습니다. 하루 세 시간의 노력으로 좋은 결과를 낸 경험을 통해서, 노력의 중요성을 배웠습니다."

① 낙숫물이 댓돌 뚫는다
② 백지장도 맞들면 낫다
③ 소 잃고 외양간 고친다
④ 발 없는 말이 천 리 간다
⑤ 기와 한 장 아끼다가 대들보 썩힌다

6 **밑줄 그은 사자성어를 넣어 말한 내용이 어색한 사람의 이름을 쓰시오.**

정민: 진우는 우리 반의 중심이 되는 자수성가이다.
소민: 그녀는 오로지 자신의 힘으로 회사를 차린 자수성가한 사람이다.
채은: 그는 나라의 중요한 일을 맡을 만한 국가의 동량지재로 성장했다.

( )

7 **'낙숫물이 댓돌 뚫는다'에서 '낙숫물'이 뜻하는 것은 무엇입니까?** ( )

① 겸손함을 잃지 않는 태도
② 작지만 꾸준히 노력하는 태도
③ 타인의 실력을 인정하는 태도
④ 자신의 결정을 믿고 추진하는 태도
⑤ 자신의 실력에 대해 자신만만한 태도

#성질

Q. 그림과 이어지는 해시태그(#)를 보고 알맞은 어휘를 골라 ☐에 V표 하시오.

① 산성 ☐ / 염기성 ☐

#성질 #○○비 #화학 #염기성의_반대말
#레몬 #식초

② 담수 ☐ / 해수 ☐

#성질 #바닷물 #어우_짜 #소금물
#○○욕장

③ 농도 ☐ / 점도 ☐

#성질 #끈적끈적 #걸쭉하다
#끈적거리는 정도

④ 묽다 ☐ / 되다 ☐

#성질 #물기가_많다 #흐르다
#반죽이_○○

정답 ① 산성 ② 해수 ③ 점도 ④ 묽다

① 산성 / 염기성

산성

산의 성질. 산성 물질로는 레몬, 식초, 요구르트 등이 있다.

예 리트머스 시험지가 붉게 변한 것으로 보아 이 용액은 산성이다.

염기성

염기의 성질. 부엌이나 화장실에서 흔히 보이는 비누, 샴푸 등이 염기성 물질이다.

예 염기성 물질은 주로 쓴맛을 낸다.

Tip_
산성과 염기성은 우리 일상생활과도 밀접한 관련이 있다. 산성은 신맛, 염기성은 쓴맛을 내는 특징이 있다.

② 담수 / 해수

담수

강이나 호수와 같이 염분이 적은 물.

예 농사를 짓기 위해서는 담수가 필요하다.

해수

바닷물. 바다에 있는 짠물.

예 지구온난화로 인해 해수의 온도가 높아졌다.

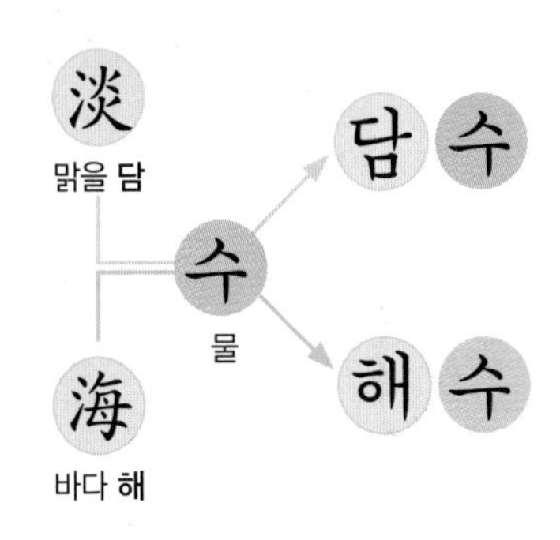

③ 농도 / 점도

농도

용액의 진하거나 묽은 정도.

예 미세먼지 농도가 높아 마스크를 꼈다.

점도

용액의 끈적거리는 정도.

예 점도가 낮을수록 용액은 빠르게 흐른다.

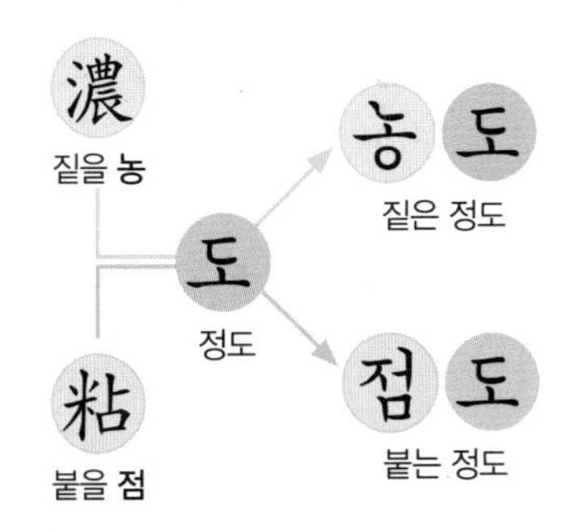

④ 묽다 / 되다

묽다

물기가 많아 농도가 연하다.

예 반죽이 묽어서 밀가루를 더 넣었다.

되다

물기가 적어 빡빡하다.

예 이번에 지은 밥은 너무 되다.

#성질 #속담

Q. 그림과 이어지는 해시태그(#)를 보고 알맞은 속담을 골라 ▢에 V표 하시오.

흐르는 물은 썩지 않는다 ▢ / 윗물이 맑아야 아랫물이 맑다 ▢

#언제나_노력 #꾸준함 #끝없는_훈련 #베짱이보다는_개미처럼 #열심히

흐르는 물은 썩지 않는다

현재 자신의 모습에 만족하지 않고 계속 노력을 해야 발전할 수 있다는 말.

흐르는 물은 썩지 않는다
- 흐르는 물은 → 부지런히 노력하는 사람은
- 썩지 않는다 → 계속 발전한다

윗물이 맑아야 아랫물이 맑다

윗사람이 바르게 행동해야 아랫사람도 따라서 잘 행동한다는 말.

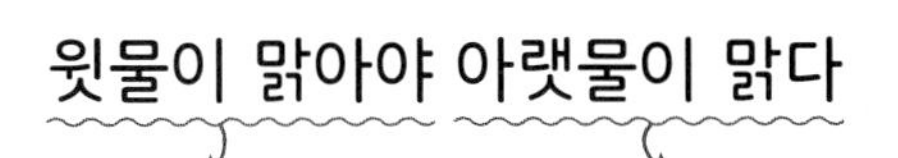

- 윗물이 맑아야 → 윗사람이 바르게 행동해야
- 아랫물이 맑다 → 아랫사람도 바르게 배운다

흐르는 물은 썩지 않지!
꾸준함이 답이다!

비슷한 뜻의 속담

맑은 샘에서 맑은 물이 난다

근본이나 기초가 좋아야 훌륭한 인재가 나온다.

부모가 착해야 효자 난다

부모가 착해야 자식도 본받는다.

정답 흐르는 물은 썩지 않는다

#성질 #관용어

Q. 그림과 이어지는 해시태그(#)를 보고 알맞은 어휘를 골라 ☐에 V표 하시오.

물 건너가다 ☐ / 물 쓰듯 하다 ☐

#펑펑 #낭비 #흥청망청 #콸콸_흐르는_물처럼 #마구_쓰다 #헤프게_쓰는_모습

물 건너가다

일의 상황이 끝나 어떠한 조치를 할 수 없다.

예 그 문제는 이미 물 건너갔다.

물 건너가다 → 손댈 수 없다 / 끝나다

나도 한 입만!

물 건너갔어! 침 발랐다.

물 쓰듯 하다

돈이나 물건을 흥청망청 쓰다.

예 첫 해외여행으로 잔뜩 들뜬 정민이는 돈을 물 쓰듯 썼다.

물 쓰듯 하다 → 마구 헤프게 쓰다

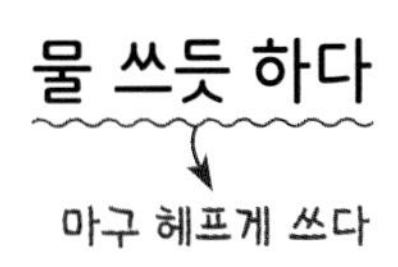

벌써 이번 달 용돈이 다 떨어졌네…….

돈을 물 쓰듯 하더니 결국 다 썼구나?

정답 물 쓰듯 하다

1 다음 문장의 밑줄 그은 부분과 바꾸어 쓸 수 있는 낱말을 쓰시오.

용액의 끈적거리는 정도가 높을수록 흐르는 속도가 느리다.

☐☐

2 보기에서 밑줄 친 낱말의 알맞은 뜻을 골라 기호를 쓰시오.

보기
㉠ 물기가 많다.
㉡ 염분이 적은 물.
㉢ 바다에 있는 짠물.
㉣ 용액의 진하거나 묽은 정도.

(1) 물감을 묽게 타서 연하게 색칠했다. (　　　　)

(2) 해변가는 해수욕을 하려는 사람들로 북적인다. (　　　　)

3 다음은 '리트머스 종이'에 대한 설명입니다. 첫 자음자와 뜻을 살펴보고 ❶과 ❷에 들어갈 알맞은 낱말을 쓰시오.

리트머스 종이

리트머스 종이는 색깔 변화를 통해 ❶ⓢⓢ과 ❷ⓞⓖⓢ을 판단할 수 있도록 하는 종이이다. 푸른색 리트머스 종이에 ❶ⓢⓢ 용액을 떨어뜨리면 붉은색으로 변하고, 붉은색 리트머스 종이에 ❷ⓞⓖⓢ 용액을 떨어뜨리면 푸른색으로 변한다.

❶ ㅅㅅ: 레몬, 식초, 요구르트 등이 띠는 성질.

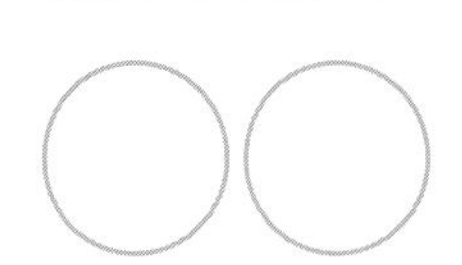

❷ ㅇㄱㅅ: 비누, 샴푸, 세제 등이 띠는 성질.

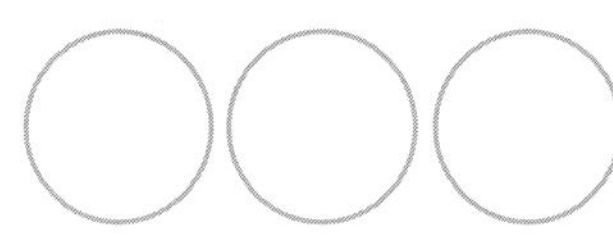

4 다음 기사를 읽고 떠올릴 수 있는 속담은 무엇입니까? ( )

이번 ○○ 올림픽에서 뛰어난 기량을 뽐낸 선수들 가운데 역시나 가장 화제가 된 선수는 김지연 선수다. 그녀는 지난 8월 10일, ○○ 올림픽 태권도 여자 57kg급 결승에서 패리스(영국)를 꺾고 금메달을 목에 걸었다. 올림픽 이후, 쏟아지는 인터뷰 요청으로 여전히 바쁜 나날을 보내고 있는 김지연 선수를 만나 보았다.

이번 금메달이 어떤 의미를 갖냐는 질문에 김지연 선수는 오랜 노력의 결과라고 답했다.

"열 살 때부터 15년 동안 운동을 하면서 거의 쉬는 날 없이 계속 달려왔던 것 같아요. 쉬고 싶은 마음도 굴뚝같았지만, 올림픽에서 메달을 따는 순간을 상상하면서 이겨냈죠."

김지연 선수는 초등학생 때 처음 태권도를 접했다. 초등학교 3학년부터 시작해서 약 15년간 한 번도 운동을 멈춘 적이 없다고 이야기했다.

"매일 가장 먼저 훈련장에 도착하고 가장 늦게 집에 돌아갔던 것 같아요. 발차기, 겨루기, 체력 운동 등 반복적인 훈련을 한 덕분에 기술을 완벽히 익힐 수 있었죠."

올림픽 꿈나무들에게 김지연 선수는 부지런한 자세와 성실한 태도를 다시 한번 강조하고 싶다고 덧붙였다.

① 독 안에 든 쥐
② 흐르는 물은 썩지 않는다
③ 윗물이 맑아야 아랫물이 맑다
④ 말 한마디에 천 냥 빚도 갚는다
⑤ 호랑이 없는 골에 토끼가 왕 노릇 한다

5 다음 보기의 속담과 관련된 설명을 골라 ○표 하시오.

보기

윗물이 맑아야 아랫물이 맑다

(1) 윗사람이 바르게 행동해야 아랫사람도 본받아 잘한다. ( )

(2) 부지런히 노력을 하는 사람은 뒤처지지 않고 계속해서 발전을 한다. ( )

6 다음 관용어와 관련 있는 설명을 선으로 이으시오.

(1) 물 건너가다 • • ① 돈이나 물건을 흥청망청 쓰다.

(2) 물 쓰듯 하다 • • ② 일의 상황이 끝나 어떠한 조치를 할 수 없다.

#도구

Q. 그림과 이어지는 해시태그(#)를 보고 알맞은 어휘를 골라 ☐에 V표 하시오.

① 등잔 ☐ / 지게 ☐

#도구 #빛 #등불 #기름 #옛_도구
#ㅇㅇ_밑이_어둡다

② 절구 ☐ / 맷돌 ☐

#도구 #돌 #곡식_갈기 #돌려_돌려
#둥글넓적한_돌_두_짝

③ 키 ☐ / 체 ☐

#도구 #거르다 #가루를_곱게 #거름망
#ㅇ로_치다

④ 호미 ☐ / 쟁기 ☐

#도구 #농작물_캐기 #김매기
#쇠로_만든_농기구

정답 ① 등잔 ② 맷돌 ③ 체 ④ 호미

① 등잔

기름을 담아 등불을 켜는 데에 쓰던 옛 도구.

예 어머니는 등잔 옆에 앉아 바느질을 하셨다.

지게

짐을 얹어 사람이 등에 지는 우리나라 고유의 운반 기구.

예 아버지는 지게를 지고 산으로 나무하러 갔다.

▲ 등잔: 등불을 켜는 도구

---

② 절구

곡식을 빻거나 찧으며 떡을 치기도 하는 기구.

예 절구에 곡식을 넣고 찧을 때 주로 절굿공이를 사용한다.

맷돌

콩이나 팥 등의 곡식을 가는 데 쓰는 기구. 주의 멧돌 ×

예 두부를 만들기 위해 불린 콩을 맷돌에 넣고 갈았다.

Tip_
맷돌은 둥글넓적한 돌 두 개를 포개어 쓰고, 절구는 돌이나 나무의 속을 파서 쓴다.

---

③ 키

추수가 끝나고 곡식에서 불순물을 골라내는 데 쓰이는 도구.

예 키에 곡식을 담고 위아래로 흔들었다.

체

가루를 곱게 치거나 거르는 데 쓰는 기구. 주의 채 ×

예 쌀가루를 체에 내려 거르고 떡을 만들었다.

▲ 곡식을 담고 위아래로 흔들어주면 가벼운 쭉정이는 바람에 날아가고, 무거운 것은 뒤로 모인다.

---

④ 호미

김을 매거나 고구마 따위를 캘 때 쓰는 쇠로 만든 농기구.

예 호미는 논밭에서 쓰이는 한국 고유의 연장이다.

쟁기

논밭을 가는 농기구.

예 쟁기로 열심히 논을 갈았다.

▲ 우리 조상들은 소에 쟁기를 달아 논을 갈았다.

#도구 #속담

Q. 그림과 이어지는 해시태그(#)를 보고 알맞은 속담을 골라 ☐에 V표 하시오.

등잔 밑이 어둡다 ☐ / 호미로 막을 것을 가래로 막는다 ☐

#도구 #한참_찾아도_안_보여 #코앞에_두고_몰라 #가까이에_있는_것을_모른다

등잔 밑이 어둡다

등잔 받침 아래는 그림자로 어두운 것처럼, 가까이에 있는 것을 멀리 있는 것보다 오히려 더 잘 모른다는 뜻.

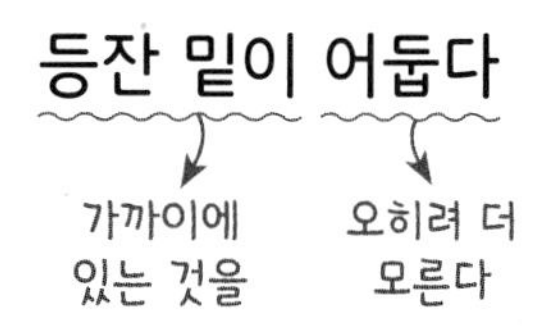

등잔 밑이 어둡다고, 오히려 가까이에 있는 것이 안 보일 때도 많지.

호미로 막을 것을 가래로 막는다

호미로 막을 만한 작은 구멍도 방치하면 큰 가래로 막아야 하는 것처럼, 일이 작을 때 미리 처리하지 않고 미루면 나중에 더 힘이 든다는 뜻.

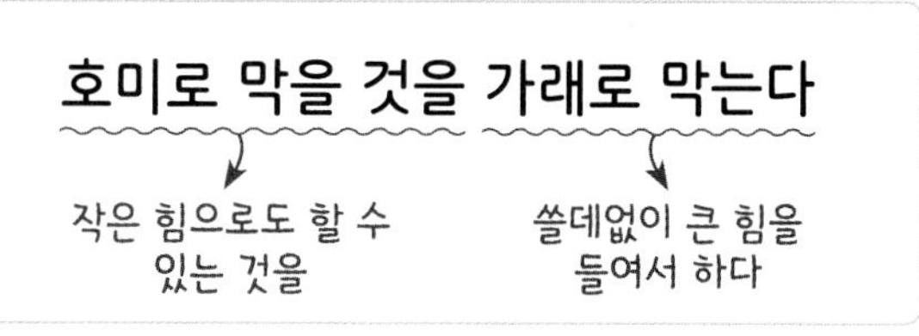

아직 큰 문제는 아니지만, 미리 대책을 세우자!

좋아! 호미로 막을 것을 가래로 막게 되는 경우는 피해야지!

정답 등잔 밑이 어둡다

#도구 #사자성어

Q. 그림과 이어지는 해시태그(#)를 보고 알맞은 사자성어를 골라 ☐에 V표 하시오.

풍전등화 ☐ / 목불식정 ☐

#바람_앞의_등불 #언제_꺼질지_몰라 #위태로워 #불안불안 #위기 #아슬아슬

풍전등화

바람이 불면 언제 등잔이나 촛불이 꺼질지 모르는 것처럼, 위태롭고 불안하다는 뜻.

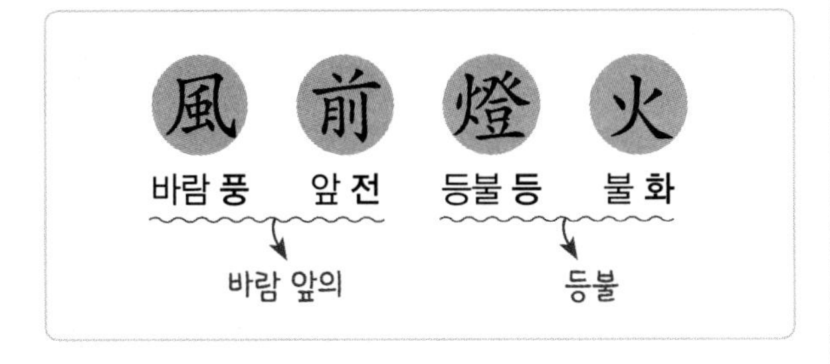

비슷한 뜻의 사자성어

진퇴양난

나아갈 수도 없고 물러설 수도 없다.

목불식정

눈으로 보고도 丁(정)같이 쉬운 글자를 모른다는 뜻으로 아는 것이 없음을 뜻하는 말.

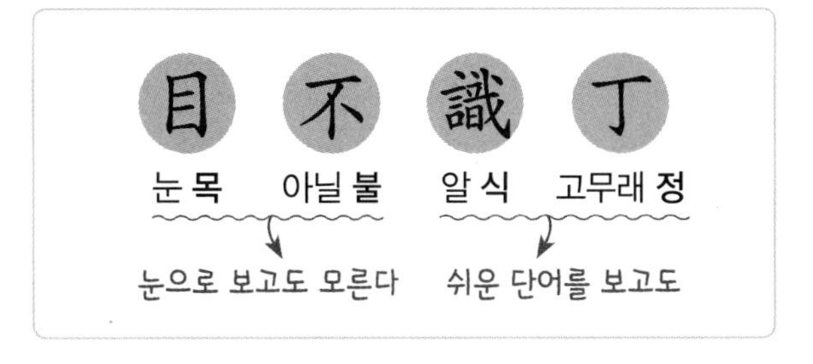

낫 놓고 기역 자도 모른다더니, 목불식정이구나!

정답 풍전등화

1 빈칸에 알맞은 말을 보기에서 골라 쓰시오.

보기

절구 지게 쟁기

(1) 조그만 □□에 마늘을 넣고 찧었다.

(2) 옛 골목은 길이 좁았기 때문에 □□로 물건을 날랐다.

(3) 소에 □□를 달아 논을 갈던 모습은 볼 수 없고, 그 자리를 기계가 대신하고 있다.

2 다음 대화를 읽고 (   ) 안의 알맞은 말에 ○표 하시오.

민정: 이번 가을 학예회 정말 기대된다.
준우: 나도. 이번에 우리 반은 「선녀와 나무꾼」 연극을 하지?
민정: 응. 「선녀와 나무꾼」 연극을 잘 해내려면 무대 장치랑 소품도 완벽히 준비해야 할 것 같아.
준우: 맞아. 선녀 역할에 맞는 의상도 찾아봐야 해.
민정: 나무꾼이 메고 다니는 (지게 / 절구)도 준비하자.

3 다음 □ 안에 알맞은 낱말을 써넣으시오.

과거에는 이불에 오줌을 싼 아이들이 □를 머리에 뒤집어쓰고 이웃집에 소금을 얻으러 다니는 풍습이 있었다. 곡식에서 불순물을 골라내는 데 쓰이는 도구인 □를 통해 나쁜 습관도 거르고자 한 것이다.

4 **다음 ○○○○ 안에 들어갈 알맞은 사자성어는 무엇입니까?** ( )

최근 급격히 늘어난 대형 산불의 원인을 과학자들은 지구온난화 때문인 것으로 보고 있다. 기후 변화로 인해 극심한 더위와 가뭄이 겹쳐지면서 산불이 더욱 빠르게 번지며 막대한 피해를 만들어 내고 있는 것이다. 지구촌 곳곳의 대형 산불과 폭염으로 인해 지구는 현재 최악의 기후 위기를 겪고 있다.

과학자들은 전 세계가 앞으로 환경 보호를 실천하지 않는다면 지구온난화가 다시는 돌이키기 어려울 정도로 심각해질 것이라고 지적한다. 그렇다면 이상기후로 인해 ○○○○의 위기에 놓인 지구를 지키기 위해서는 어떤 것들이 선행되어야 할까?

가장 먼저 지구온난화를 가속화시키는 플라스틱과 비닐 등의 사용을 줄여야 한다. 나 하나쯤이야 하는 안일한 생각으로 아무 생각 없이 쓰고 버린 일회용품과 플라스틱들이 모여 결국은 인류의 생명을 단축시키고 사람이 살기 힘든 지구를 만들 것이다. 지구온난화로 인해 극심한 몸살을 앓고 있는 지구를 구하기 위해서는 개인의 작은 노력이 가장 먼저 시작되어야 한다.

① 목불식정 ② 마이동풍 ③ 풍전등화 ④ 전화위복 ⑤ 이구동성

5 **다음 □ 안에 알맞은 말을 써넣으시오.**

(1) □□ 밑이 어둡다더니, 바로 옆에 있는 것도 못 찾니?

(2) 치통을 방치했더니 충치가 더욱 악화돼서 □□로 막을 것을 가래로 막았다.

6 **다음 속담의 뜻으로 알맞은 것을 골라 ○표 하시오.**

등잔 밑이 어둡다

(1) 쉬운 글자조차 모르고 아는 것이 없다. ( )

(2) 가까이에 있는 것을 오히려 알아보지 못한다. ( )

(3) 확실한 일이라도 다시 한 번 확인하고 조심하여 결정한다. ( )

#가정의례

Q. 그림과 이어지는 해시태그(#)를 보고 알맞은 어휘를 골라 ▢에 V표 하시오.

① 명절 ▢ / 절기 ▢

#가정의례 #가족_행사 #공휴일 #기념일 #전통 #설날 #추석

② 차례 ▢ / 성묘 ▢

#가정의례 #명절에_지내는_제사 #조상님께 #감사와_보답

③ 혼례 ▢ / 환갑 ▢

#가정의례 #결혼식 #부부 #축하 #백년해로 #검은_머리_파뿌리

④ 돌 ▢ / 배냇저고리 ▢

#가정의례 #처음_입는_옷 #아기_옷 #저고리

정답 ① 명절 ② 차례 ③ 혼례 ④ 배냇저고리

① 명절

우리 민족이 전통적으로 지켜온 기념일. 우리나라에는 설날, 대보름날, 단오, 추석, 동짓날 등이 있다.

예 이번 명절에는 고향에 못 가게 되어 아쉽다.

절기

해의 움직임에 따라 1년을 24개로 나눈 것.

예 우리 조상은 계절의 변화를 더 자세하게 파악하기 위해 절기를 사용했다.

절기는 1년 전체를 24개로 나누어 구분한 것이고, 명절은 1년 중 특정한 날짜를 정해 기념하는 것이야.

② 차례

설이나 추석 등 명절에 조상님께 지내는 제사.

예 추석 아침은 언제나 차례부터 지낸다.

성묘

조상의 무덤을 찾아가서 손질하고 살피는 일.

예 설을 맞아 성묘를 하러 할아버지의 산소를 방문했다.

▲ 차례상

③ 혼례

남자와 여자가 부부가 될 것을 약속하는 의식.

예 많은 사람들의 축하를 받으며 혼례를 치렀다.

환갑

예순한 살을 뜻하는 말.

예 옛날에는 예순이 넘도록 오래 사는 사람이 많지 않아서 환갑잔치를 열기도 했다.

▲ 환갑잔치의 또 다른 말: 회갑연

④ 돌

아이가 태어난 날로부터 한 해가 되는 날.

예 아기가 돌이 지나자 바로 걸음을 떼었다.

배냇저고리

갓난아이의 저고리. 아기가 태어나면서 처음으로 입는 옷.

예 곧 태어날 조카를 위해 배냇저고리를 선물했다.

Tip_
배냇저고리와 돌을 기념하는 풍습을 통해 생명을 소중히 여겼던 조상들의 마음을 엿볼 수 있다.

#가정의례 #속담

Q. 그림과 이어지는 해시태그(#)를 보고 알맞은 속담을 골라 ☐에 V표 하시오.

떡 본 김에 제사 지낸다 ☐ / 남의 잔치에 감 놓아라 배 놓아라 한다 ☐

#이래라_저래라 #간섭 #쓸데없는_참견 #너나_잘해 #이러쿵저러쿵 #간섭_금지

떡 본 김에 제사 지낸다

필요했던 기회나 물건이 나타나면 그것으로 하려던 일을 해치운다는 뜻.

떡 본 김에 제사 지낸다
- 떡 본 김에 → 우연히 좋은 기회가 왔을 때
- 제사 지낸다 → 하려고 했던 일을 한다

우리 화장실 청소는 내일 할까?

떡 본 김에 제사 지낸다고,
이왕 이렇게 된 거 오늘 다 해버리자!

남의 잔치에 감 놓아라 배 놓아라 한다

잔치에 온 손님이 이러쿵저러쿵 참견하고 잔소리하는 것처럼, 상관없는 일에 간섭한다는 뜻.

남의 잔치에 감 놓아라 배 놓아라 한다
- 남의 잔치에 → 남의 일에
- 감 놓아라 배 놓아라 한다 → 참견하고 간섭한다

이건 이렇게 저건 저렇게 해야지!

왜 남의 잔치에 감 놓아라 배 놓아라
하고 난리람?

정답 남의 잔치에 감 놓아라 배 놓아라 한다

#가정의례 #관용어

Q. 그림과 이어지는 해시태그(#)를 보고 알맞은 어휘를 골라 ▢에 V표 하시오.

3주

떡이 생기다

뜻밖의 이득이 생기다.
우리 민족의 문화를 대표하는 전통음식인 떡은 명절이나 잔치에서 빠짐없이 등장한다.

떡이 생기다
→ 좋은 것, 돈, 이익 등

떡이 들어간 관용어

웬 떡이냐

뜻밖의 행운이다.
예 이게 웬 떡이냐. 주머니에 천 원이 있네?

화촉을 밝히다

결혼식을 올린다는 뜻.
*화촉: 결혼식에서 쓰이는 색을 물들인 초.
색을 물들인 화촉은 혼례를 할 때에 볼 수 있는 귀한 물건이었기에 결혼을 상징하는 물건이 되었다.

정답 화촉을 밝히다

5일 기초 집중연습

1 빈칸에 알맞은 말을 보기에서 골라 쓰시오.

보기

성묘 혼례 환갑

(1) 할아버지의 산소를 찾아가 ☐☐를 했다.

(2) 그는 ☐☐이 가까운 나이에도 불구하고 도전을 멈추지 않았다.

(3) 오늘날에는 전통 ☐☐ 대신 서양식 결혼식을 하는 사람이 대부분이다.

2 다음 문장의 빈칸에 들어갈 알맞은 말에 ○표 하시오.

동지는 24☐☐의 하나로, 일 년 중에서 밤이 가장 긴 날이다.

(명절 / 절기)

3 다음은 '관혼상제'에 대한 설명입니다. 첫 자음자와 뜻을 보고 ①과 ②에 들어갈 알맞은 낱말을 쓰시오.

관혼상제

관혼상제는 사람이 살면서 겪는 중요한 네 가지 예식을 말한다. 관혼상제에는 관례, ①(ㅎ)(ㄹ), 상례, 제례가 있다. 관례는 어른이 된 것을 축하하는 의미로 치르는 의식을 말한다. ①(ㅎ)(ㄹ)는 남자와 여자가 부부가 되는 약속을 하는 의식이다. 상례는 사람이 죽었을 때 치르는 장례를 말한다. 제례는 돌아가신 조상을 위로하며 치르는 제사, ②(ㅊ)(ㄹ) 등을 말한다.

① (ㅎ)(ㄹ): 남자와 여자가 부부가 되고 평생 함께할 것을 약속하는 의식.

② (ㅊ)(ㄹ): 설이나 추석 등 명절에 조상님께 지내는 제사.

4 **다음 이야기를 읽고 떠올릴 수 있는 속담은 무엇입니까?** ……………………………………( )

> 처음부터 명절을 싫어했던 것은 아니다. 오히려 어렸을 때는 명절을 들뜬 마음으로 기다리기도 했다. 특히 사촌 형과 누나를 만나서 함께 놀고, 맛있는 할머니 표 음식들을 먹을 생각에 잠을 설치기도 했었다. 하지만 사촌 형 민재가 작년에 중학교에 들어가고 점점 성격이 이상해지면서 나는 명절을 싫어하게 되었다. 형은 사소한 것들을 지적하고 참견하기 시작하더니 결국에는 말도 안 되는 잔소리들로 나를 괴롭히기 시작했다.
>
> "야. 너는 그 문제도 모르냐?"
>
> "알거든? 천천히 생각하면서 풀고 있는 거야. 저리 가!"
>
> "알긴 뭘 알아. 딱 보니까 모르는구먼. 이건 그렇게 하는 게 아니라……."
>
> "내 방에서 나가라니까!"
>
> 그날 형에게 소리를 질렀다는 이유로 엄마와 이모에게 혼이 났다. 우리 집에서 하룻밤을 자고 민재 형의 가족이 모두 집에 돌아갔을 때, 형의 간섭으로부터 드디어 자유로워졌다는 기쁨의 만세를 불렀다. 설이 지난 지 얼마 되지도 않은 것 같은데 벌써 추석이 오다니. 민재 형이 오늘은 또 어떤 잔소리를 할까 생각만 해도 괴로웠다. 아니나 다를까, 민재 형은 이번 추석에도 내 방에 들어오자마자 신나게 지적을 했다.
>
> "방 좀 청소해. 방 꼬락서니가 이게 뭐냐?"
>
> "제발 그만 참견해! 내가 알아서 할게."
>
> "너 옷은 또 왜 그래? 옷 좀 사라. 그래서 어떻게 친구를 사귈래?"
>
> 이번 추석만큼은 민재 형의 쓸데없는 참견으로부터 자유로워지고 싶었지만, 어김없이 잔소리 폭탄이 이어졌다.

① 낙숫물이 댓돌 뚫는다
② 도랑 치고 가재 잡는다
③ 떡 본 김에 제사 지낸다
④ 남의 잔치에 감 놓아라 배 놓아라 한다
⑤ 호랑이에게 물려 가도 정신만 차리면 산다

5 **다음 중 '화촉을 밝히다'와 어울리는 것에 ○표 하시오.**

(1)

( )

(2)

( )

(3)

( )

3주 누구나 100점 TEST

1 다음 밑줄 그은 낱말이 잘못 쓰인 것은 무엇입니까? ( )

① 무난하게 1차 시험에 합격했다.
② 사람들의 견해가 엇갈리고 있다.
③ 명절에는 많은 사람들이 고향을 찾는다.
④ 서까래는 우리나라 고유의 난방 장치이다.
⑤ 바다에 버려진 쓰레기들이 해수를 오염시켰다.

2 ( ) 안에 들어갈 알맞은 말에 ○표 하시오.

선조들의 부엌에는 (아궁이 / 대들보)가 중심에 자리 잡고 있었다.

3 다음 밑줄 그은 낱말이 알맞지 않은 것에 ×표 하시오.

(1) 호미로 고구마를 캤다. ( )
(2) 식초와 레몬은 염기성 물질이다. ( )
(3) 밤이 되자 문득 작년 겨울에 있었던 일이 생각났다. ( )

4 다음 뜻에 알맞은 낱말을 보기에서 찾아 쓰시오.

보기

표현 편견 견해 반박

(1) 어떤 의견이나 주장에 반대함. ( )

(2) 물건이나 상황에 대한 자기의 의견이나 생각. ( )

5 다음 그림을 보고 빈칸에 들어갈 말은 무엇인지 쓰시오.

(1)

• 곡식을 빻거나 찧는 데 쓰는 도구.
• □□는 통나무나 돌의 속을 둥글게 파서 만들었다.

(2)

• 곡식을 가는 도구.
• □□은 콩이나 팥 등의 곡식을 갈 때 주로 사용했다.

◐ 정답과 풀이 11쪽 점수 점

6 다음 빈칸에 들어갈 알맞은 말은 무엇입니까? ( )

> '[ ]'(이)라는 사자성어는 아는 것이 없고 무식하다는 뜻이다. 이 사자성어와 비슷한 뜻을 가진 속담으로는 '낫 놓고 기역 자도 모른다'는 말이 있다.

① 사면초가 ② 풍전등화
③ 목불식정 ④ 자수성가
⑤ 일촉즉발

7 다음에서 설명하는 가정의례에 관련된 말을 고르시오.

(1) 남녀가 부부의 인연을 맺는 의식. (성묘 / 혼례)

(2) 설이나 추석 등 명절에 조상님께 지내는 제사. (차례 / 환갑)

8 다음 속담의 뜻으로 알맞은 것은 어느 것입니까? ( )

> 낙숫물이 댓돌 뚫는다

① 자기와 상관없는 일에 간섭한다.
② 작은 힘이 모이면 큰 결과를 낸다.
③ 사소한 것을 아끼면 결국 손해를 본다.
④ 실제로 겪어보기 전까지는 확실히 결과를 예측할 수 없다.
⑤ 윗사람이 바르게 행동해야 아랫사람도 따라서 잘 행동한다.

9 ㉠과 ㉡에 들어갈 말이 알맞게 짝 지어진 것은 어느 것입니까? ( )

> 한옥은 크게 [㉠]과 [㉡]으로 나뉜다. 농사를 짓는 백성들은 주로 [㉠]에서, 양반들은 기와로 지붕을 만든 [㉡]에서 주로 살았다.

	㉠	㉡
①	기와집	초가집
②	기와집	대들보
③	초가집	기와집
④	초가집	서까래
⑤	대들보	서까래

10 다음 뜻을 나타내는 관용어를 찾아 선으로 이으시오.

(1) 돈이나 물건을 흥청망청 쓰다. • • ① 물 건너가다

(2) 일의 상황이 끝나 조치를 할 수 없다. • • ② 떡이 생기다

(3) 뜻밖의 이득이 생기다. • • ③ 물 쓰듯 하다

3주

어휘 플러스

눈에 쌍심지를 켜다

정말 화가 나서 두 눈에 불이 난 것 같을 때 우리는 '눈에 쌍심지를 켜다.'라고 해.

3주

논리 탄탄

1

친구들이 우리나라의 생활 도구에 대해 이야기하고 있어요.

(1) 우리나라의 생활 도구에 대해 알맞게 이야기한 친구들을 다음 빙고 판에서 모두 찾아 ○표를 하세요.

(2) 위 (1)번의 빙고 판에서 완성된 빙고는 모두 몇 줄인지 쓰세요.

( )줄

2 사자성어의 뜻에 대한 문제를 풀어 할머니 댁에 무사히 도착할 수 있게 도와주세요.

4주에는 무엇을 공부할까? ①

1일 국어 > 광고

홍보 / 매체
허위 / 과장
공익 / 사익
매진 / 매출

속담 소문 난 잔치에 먹을 것 없다 / 빈 달구지가 요란하다
사자성어 감언이설 / 유언비어

2일 생활 > 경제

화폐 / 물가
생산 / 소비
유통 / 물물 교환
예금 / 이자

속담 티끌 모아 태산 / 굳은 땅에 물이 고인다
사자성어 유비무환 / 소탐대실

3일 과학 > 속도

급속 / 저속
감속 / 가속
시동 / 제동
급행 / 서행

속담 돌다리도 두들겨 보고 건너라 / 기기도 전에 날기부터 하려 한다
사자성어 지지부진 / 전광석화

생활 > 거래

무역 / 관세
수입 / 수출
수요 / 공급
흑자 / 적자

속담 뿌린 대로 거둔다 / 밑져야 본전
사자성어 아전인수 / 견리사의

사회 > 농사

두렁 / 이엉
달구지 / 경운기
모내기 / 김매기
품앗이 / 두레

속담 벼는 익을수록 고개를 숙인다 / 좋은 농사꾼에게는 나쁜 땅이 없다
사자성어 주경야독 / 신토불이

'뜬금없다'는
무슨 뜻일까?

홍보

매체

홍보와 매체는 어떻게 다를까요?

*홍보를 하기 위해 필요한 것이 매체!

1 (　　) 안에 들어갈 알맞은 말에 ○표 하시오.

효과적인 (1) (홍보 / 매체)를 위해 다양한 (2) (홍보 / 매체)를 활용했다.

기기도 전에 날기부터 하려 한다

왜 기기도 전에 날기부터 하려 한다고 하였을까요?

*차근차근 도전하자!

2 '기기도 전에 날기부터 하려 한다'의 뜻으로 알맞은 것은? (　　　)

① 일을 망친 다음에 나서는 것은 소용이 없다.

② 잘하고 못하는 것은 실제로 겨루어 봐야 알 수 있다.

③ 쉽고 작은 것도 하지 못하면서 더 어렵고 큰일을 하려고 나선다.

◐ 정답과 풀이 13쪽

무역

관세

*무역: 나라끼리 물건을 사고파는 것.

나라끼리 물건을 사고파는 것은 무역일까요, 관세일까요?

3 다음 중 '무역'에 대해 바르게 이야기 하고 있는 친구는?

(　　　　　　　　)

감언이설

*사탕발림

감언이설은 무슨 뜻일까요?

4 '감언이설'의 뜻으로 알맞은 것은? (　　　　)

① 근거 없이 떠도는 소문.

② 상대방에게 잘 보이거나 설득하기 위해 하는 말.

③ 일이 매우 천천히 진행되어서 나아가지 못함을 뜻하는 말.

#광고

Q. 그림과 이어지는 해시태그(#)를 보고 알맞은 어휘를 골라 ☐에 V표 하시오.

① 홍보 ☐ / 매체 ☐

#광고 #알리기 #소문_내기 #널리_전달

② 허위 ☐ / 과장 ☐

#광고 #사실보다_크게 #부풀리다 #○○_광고

③ 공익 ☐ / 사익 ☐

#광고 #사회_전체의_이익 #사익의_반대 #공동의_이익

④ 매진 ☐ / 매출 ☐

#광고 #재고_없음 #남은_것_없음 #다_팔림

정답 ① 홍보 ② 과장 ③ 공익 ④ 매진

① 홍보 / 매체

홍보

생각이나 계획 등을 널리 알리는 활동.

예 그들은 환경 보호에 대한 홍보를 위해 애쓰고 있다.

매체

어떤 것을 한쪽에서 다른 쪽으로 전달하는 물건이나 수단.

예 신문과 인터넷, 텔레비전은 모두 매체이다.

Tip_
물건, 소식 등을 널리 알리는 것은 '홍보'이고, '홍보'를 할 때 사용되는 것이 '매체'이다.

② 허위 / 과장

허위

사실이 아닌 것을 사실인 것처럼 꾸민 것.

예 그의 자백은 모두 허위였음이 밝혀졌다.

과장

사실보다 지나치게 부풀려서 나타냄.

예 과장된 광고에 쉽게 현혹되어서는 안 된다.

Tip
허위: 사실이 아닌 것을 말하는 것
과장: 사실을 기반으로 부풀린 것

③ 공익 / 사익

공익

사회 전체의 이익. 공동의 이익.

예 친구들은 학급의 공익을 위하여 서로 협조하기로 했다.

사익

개인의 이익.

예 사익과 공익을 모두 중요하게 인식해야 한다.

公 공평할 공 → 익 이익 → 공익 공동의 이익
私 사사로울 사 → 익 이익 → 사익 개인의 이익

④ 매진 / 매출

매진

하나도 남지 않고 모두 다 팔림.

예 추석 연휴로 인해 열차의 좌석은 매진되고 없었다.

매출

물건을 판매하는 일.

예 열심히 신제품을 홍보한 덕분에 회사의 매출이 올랐다.

#광고 #속담

Q. 그림과 이어지는 해시태그(#)를 보고 알맞은 속담을 골라 ☐에 V표 하시오.

소문난 잔치에 먹을 것 없다 ☐ / 빈 달구지가 요란하다 ☐

#실속_없음 #겉으로는_더_떠든다 #잘난_척_금지 #허세 #자랑

소문난 잔치에 먹을 것 없다

기대했던 것에 비하여 실속이 없거나 소문이 실제와 일치하지 않았을 때 쓰는 말.

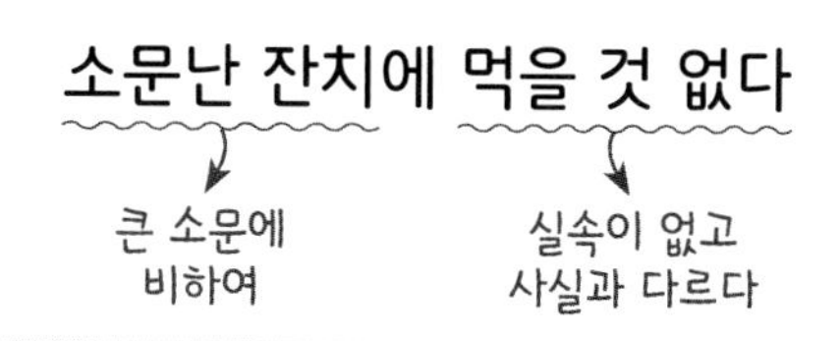

뭐야? 역대 최고의 축제라더니 별거 없잖아!

소문난 잔치에 먹을 것 없다잖아.

빈 달구지가 요란하다

빈 수레가 덜컹덜컹 소리가 시끄러운 것처럼, 잘 알지 못하는 사람이 겉으로는 더 잘난 척하고 말이 많다는 말.

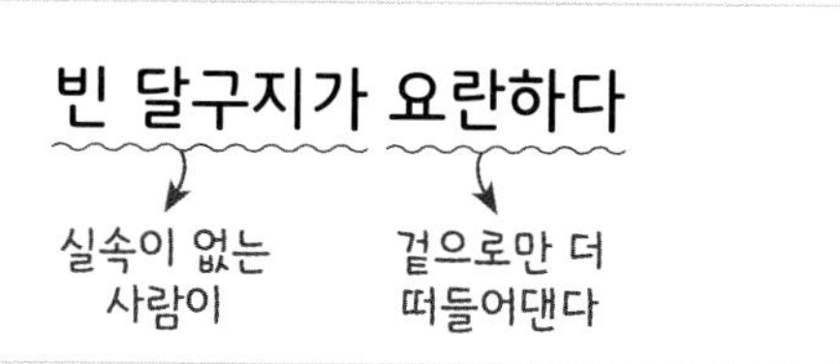

비슷한 뜻의 사자성어

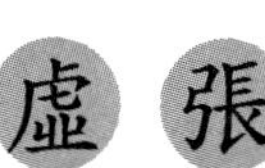   

虛 빌 허 張 베풀 장 聲 소리 성 勢 형세 세

허장성세

실력이 없으면서 허세로만 떠벌림.

정답 빈 달구지가 요란하다

#광고 #사자성어

Q. 그림과 이어지는 해시태그(#)를 보고 알맞은 사자성어를 골라 □에 V표 하시오.

감언이설

달콤한 말과 이로운 이야기라는 뜻으로, 상대방에게 잘 보이거나 설득하기 위해 하는 말.

아무 말이나 믿고 끌려다니면 안 돼!

감언이설에 속아 넘어가면 큰일 나!

유언비어

근거 없이 떠도는 소문이나 이야기라는 뜻으로, 헛소문을 뜻하는 말.

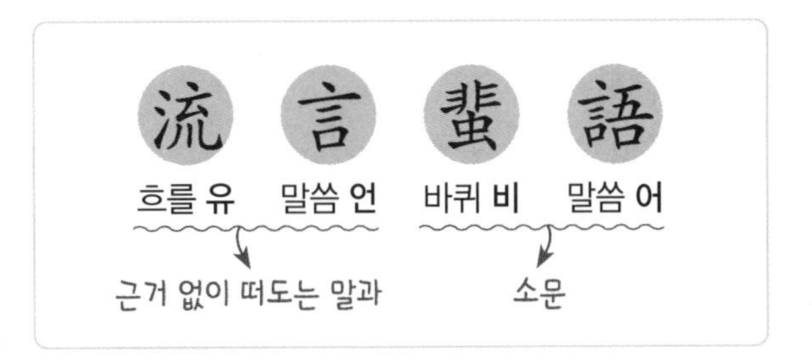

비슷한 뜻의 사자성어

가담항설

거리나 사람들 사이에서 떠도는 이야기.

정답 감언이설

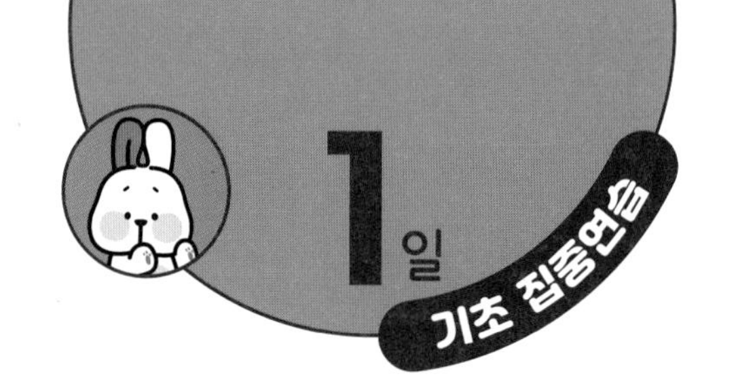

1 빈칸에 알맞은 말을 보기에서 골라 쓰시오.

보기

매진 허위 사익 과장

(1) 오늘 판매하려고 준비했던 빵이 모두 □□되었다.

(2) 사실이 아닌 자료를 사용하여 만든 광고를 □□ 광고라고 한다.

(3) 어제 있었던 일에 대해 □□하지 않고 있는 그대로 이야기했다.

(4) 개인의 이익인 □□과 공공의 이익인 공익을 엄격하게 구별하기는 쉽지 않다.

2 다음 중 '매체'의 뜻으로 가장 알맞은 것은 어느 것입니까? ( )

① 소식을 전달함.
② 공동체의 이익.
③ 물건을 판매하는 일.
④ 생각을 과장되게 표현함.
⑤ 어떤 것을 한쪽에서 다른 쪽으로 전달하는 물건이나 수단.

3 다음은 '광고'에 대한 설명입니다. 첫 자음자와 뜻을 살펴보고 ❶과 ❷에 들어갈 알맞은 낱말을 쓰시오.

광고

광고는 상품에 대한 정보를 여러 가지 ❶ ㅁㅊ를 통해 소비자에게 알리는 활동을 말한다. 광고는 상품의 가격이나 기능, 성능 등에 대한 정보를 전달한다. 하지만, 그 과정에서 상품에 대해 과장하거나 사실보다 많이 부풀려서 이야기하는 ❷ ㄱㅈ 광고가 만들어지기도 하므로 주의해서 살펴보아야 한다.

❶ ㅁㅊ: 어떤 것을 한쪽에서 다른 쪽으로 전달하는 물건이나 수단.

○○

❷ ㄱㅈ: 사실보다 지나치게 부풀려서 나타냄.

○○

◐ 정답과 풀이 13쪽

4 **다음 이야기에서 떠올릴 수 있는 사자성어는 무엇입니까?** ( )

이번 주말은 처음으로 지원이가 없는 주말이다. 지원이가 편찮으신 할머니를 뵈러 시골에 내려가고 나니 생각했던 것보다 더 심심했다. 책을 읽고 만화를 보는 것도 결국 지겨워져서 혼자 지원이와 늘 함께 가던 카페에 다녀왔다. 카페에는 사람이 많았지만, 자리가 딱 하나 남아 있었다. 자리에 앉아서 딸기 스무디를 마셨지만 혼자 온 사람은 나뿐이었다. 혼자 앉아 있으니 친구가 없는 사람처럼 보일까 봐 걱정됐다. 결국 스무디를 받은 지 오 분 만에 벌컥벌컥 마시고 도망치듯 카페에서 나왔다. 외롭고 지루한 긴 주말을 보내고 나서야 학교에 가는 월요일이 돌아왔다.

지원이를 만날 생각에 신나게 교실로 들어왔지만, 지원이는 보이지 않았다. 주변을 둘러보며 지원이를 찾았지만, 갑자기 친구들이 나를 불쌍하다는 듯한 눈빛으로 쳐다보는 것이 느껴졌다.

"너 정말 지원이랑 싸웠어? 진짜야?"

뒷자리에 앉아 있던 혜지가 갑자기 이상한 소리를 했다.

"뭐? 그게 무슨 말이야? 내가 지원이랑 왜 싸워?"

"누가 너 지원이랑 절교하고 카페에 혼자 앉아서 울고 있는 걸 봤다는데?"

"아니야. 지원이가 할머니 댁에……."

"왜 싸웠어? 너희 친했잖아? 지원이가 너를 따돌렸어?"

누군가 내가 혼자 카페에 앉아 있는 것을 본 모양이었다. 사실이 아니라고 이야기하고 싶었지만, 혜지는 내 말을 들을 생각이 없어 보였다. 어쩌다가 이런 근거 없는 소문이 퍼진 것인지는 모르겠지만 당장 이 오해를 풀고 싶은 마음뿐이었다. 오늘따라 지원이도 지각을 하는 것인지 보이지 않았다.

① 인과응보 ② 개과천선 ③ 아전인수 ④ 유언비어 ⑤ 이심전심

5 **다음 속담과 관련 있는 설명을 선으로 이으세요.**

(1) 빈 달구지가 요란하다 •	• ① 소문에 비하여 내용이 보잘것없다.
(2) 소문난 잔치에 먹을 것 없다 •	• ② 실속이 없고 아는 것이 없는 사람이 더 잘난 척한다.

6 **사자성어를 잘못 사용한 문장은 무엇입니까?** ( )

① 나는 그의 감언이설에 속아 넘어갔다.
② 자라의 감언이설에 토끼는 용궁으로 향했다.
③ 유언비어에 솔깃하여 일을 그르치고 말았다.
④ 열띤 토론 끝에 최종적인 감언이설에 도달했다.
⑤ 지금 마을에 출처를 알 수 없는 유언비어들이 떠돌아다니고 있다.

4주

#경제

Q. 그림과 이어지는 해시태그(#)를 보고 알맞은 어휘를 골라 ☐에 V표 하시오.

① 화폐 ☐ / 물가 ☐

#경제 #돈 #지폐 #동전 #교환_수단 #위조하면_안_돼

② 생산 ☐ / 소비 ☐

#경제 #돈을_쓰는_것 #지출 #소모 #과○○는_조심

③ 유통 ☐ / 물물 교환 ☐

#경제 #교환 #물건과_물건 #직접_바꾸기 #맞교환

④ 예금 ☐ / 이자 ☐

#경제 #은행 #저축 #돈_맡기기 #저금

정답 ① 화폐 ② 소비 ③ 물물 교환 ④ 예금

1

화폐

돈. 동전, 지폐 등이 모두 화폐에 포함된다.

예 화폐의 발명으로 은행이 생겨났고, 경제도 빠른 속도로 발전했다.

물가

물건의 값. 여러 물건의 가격을 평균적으로 말하기도 한다.

예 요새 물가가 너무 비싸다.

2

생산

상품을 만들어 내는 것.

예 과자는 공장에서 생산된다.

소비

상품을 사거나 이용하는 것.

예 물건을 사는 것 외에 표를 사거나 공원을 이용하는 것도 소비이다.

3

유통

생산자가 만들어 낸 상품이 소비자에게까지 전달되는 과정.

예 유통 과정에서 상품이 파손되었다.

물물 교환

물건과 물건을 서로 맞교환하는 것.

예 화폐가 없었던 옛날에는 쌀과 옷감을 바꾸는 물물 교환을 하며 살았다.

▲ 상품의 유통 과정

4

예금

은행이나 우체국에 돈을 맡기는 일.

예 추석에 받은 용돈을 은행에 예금했다.

이자

남에게 돈을 빌려 쓴 대가로 내는 일정한 비율의 돈.

예 빚과 이자를 모두 갚았다.

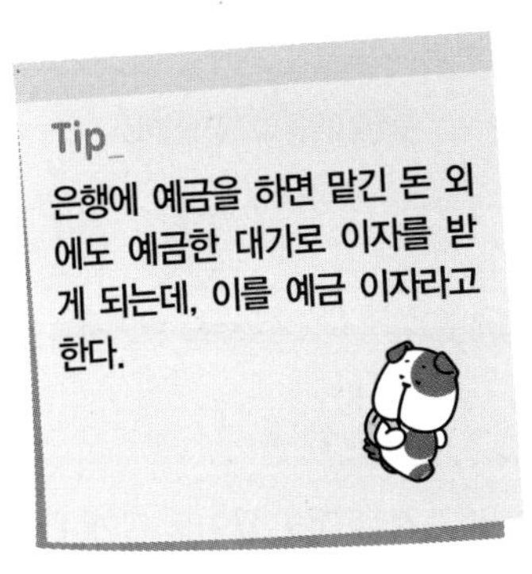

4주

#경제 #속담

Q. 그림과 이어지는 해시태그(#)를 보고 알맞은 속담을 골라 ☐에 V표 하시오.

티끌 모아 태산 ☐ / 굳은 땅에 물이 고인다 ☐

#시작은_작게 #점점_커진다 #산더미 #조금씩_쌓이면_커진다

티끌 모아 태산

아무리 작은 것이라도 조금씩 쌓이면 나중에 큰 덩어리가 되는 것처럼, 꾸준히 노력하면 원하는 것을 이룰 수 있다는 말.

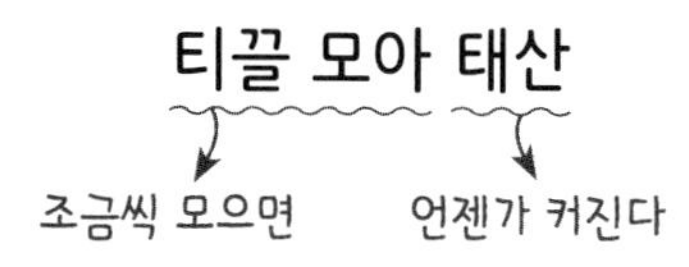

비슷한 뜻의 사자성어

積 小 成 大

쌓을 적 작을 소 이룰 성 클 대

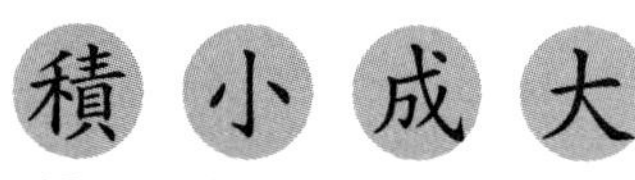

적소성대

작은 것도 쌓이면 크게 된다.

굳은 땅에 물이 고인다

단단한 땅에 물이 고이는 것처럼, 굳게 마음을 먹고 해야 좋은 결과를 얻게 된다는 말.

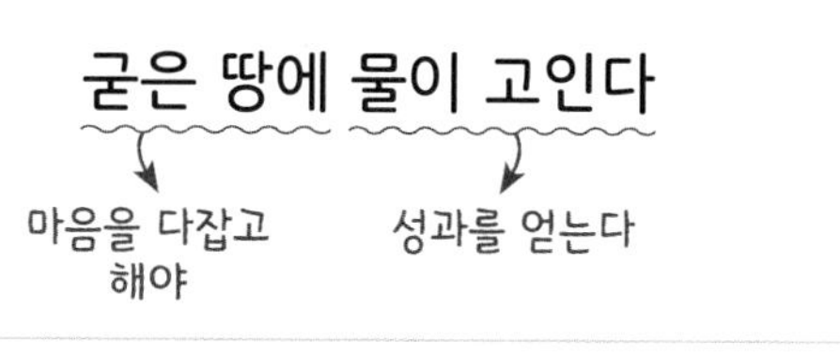

굳은 땅에 물이 고인다고, 안일한 마음가짐으로는 부족해. 마음을 단단히 먹고 도전해야지!

좋아! 오늘만 더 놀고 내일부터 공부할래!

정답 티끌 모아 태산

#경제 #사자성어

Q. 그림과 이어지는 해시태그(#)를 보고 알맞은 사자성어를 골라 ☐에 V표 하시오.

유비무환 ☐ / 소탐대실 ☐

#준비된_자 #준비만이_살길 #미리미리 #완벽하게 #꼼꼼하게_챙기다

유비무환

미리 준비되어 있으면 걱정할 것이 없다는 뜻.

시험 전날 시험공부를 하려니까 너무 불안해.

그러기에 평소에 준비를 잘했어야지! 유비무환도 모르니?

소탐대실

작은 것을 욕심내다가 큰 손실을 본다는 뜻.

놀부는 박씨를 얻으려다 결국 벌을 받았지! 이것이 바로 소탐대실!

정답 유비무환

1 다음 중 '물물 교환'에 대하여 알맞게 말하지 못한 사람은 누구입니까?

> 우영: 물건과 물건을 서로 맞교환하는 거야.
> 은서: 돈이 발달해서 물물 교환을 하게 되었어.
> 민재: 물건의 가격을 매기기 힘들다는 단점이 있어.

( )

2 빈칸에 알맞은 낱말을 써넣으시오.

> □□의 좋은 점은 물건의 가치를 매기기가 쉽다는 것인데, 이것이 발명되면서 은행도 생겨나고 경제는 더욱 빠른 속도로 발전할 수 있었다.

3 '이것'은 무엇에 대한 설명입니까? ( )

> • 어떤 특정한 물건의 가격을 가리킬 때 '이것'이라고 한다.
> • 여러 가지 물건의 가격을 평균적으로 말할 때도 '이것'이라고 한다.

① 돈 ② 물가 ③ 생산 ④ 소비 ⑤ 화폐

4 다음은 생산과 소비 중 무엇에 해당하는지 알맞게 이으시오.

(1) 상품을 만들어 내는 것 • • ① 소비

(2) 상품을 사거나 이용하는 것 • • ② 생산

5 **다음 이야기에서 떠올릴 수 있는 사자성어는 무엇입니까?** ( )

춘추 전국 시대에 촉나라는 땅이 비옥하고 많은 금은보화를 갖고 있기로 소문난 국가였습니다. 촉나라 왕은 욕심이 많아서 이미 많은 금은보화가 있음에도 더 많은 재물을 모으는 데에만 정신이 팔린 상태였습니다.

부유한 촉나라를 부러워했던 진나라의 왕은 촉나라를 정벌하겠다는 야망을 갖고 있었지만, 촉나라까지 가는 길이 매우 험난했기에 쉽게 침략할 수 없었습니다. 결국 진나라 왕은 고민 끝에 촉나라 왕이 욕심이 많다는 것을 이용한 매우 그럴듯한 수를 떠올렸습니다.

진나라 왕은 조각하는 사람을 불러서 큰 황소를 조각하게 한 뒤, 황소 조각상 안에 갖가지 금은보화를 넣었습니다. 그리고 황소의 꼬리에 금가루를 뿌리고 '황금 똥을 누는 소'에 대한 소문을 촉나라에 퍼뜨렸습니다. 진나라의 왕은 촉나라가 '황금 똥을 누는 소'가 지나갈 수 있는 큰길을 만들어 준다면 소를 선물하겠다고 이야기했습니다.

이를 들은 촉나라의 왕은 금은보화에 눈이 멀어 험난했던 길을 깎아 평평한 길을 만들어 주었습니다. 촉나라로 가는 쉽고 평평한 길이 완성되자 진나라의 왕은 기다렸다는 듯이 촉나라를 공격하여 아주 손쉽게 촉나라를 정복했습니다. 금은보화에 눈이 멀었던 왕은 결국 나라를 잃게 된 것입니다.

① 갑론을박 ② 지지부진 ③ 소탐대실 ④ 유유자적 ⑤ 외유내강

4
주

6 **다음 문장의 빈칸에 알맞은 사자성어를 써넣으시오.**

미리 준비가 되어 있으면 걱정할 일이 없다는 뜻의 사자성어는 □□□□입니다.

7 **'티끌 모아 태산'과 비슷한 뜻을 가진 속담은 무엇입니까?** ( )

① 등잔 밑이 어둡다
② 빈 달구지가 요란하다
③ 낙숫물이 댓돌 뚫는다
④ 빈대 잡으려고 초가삼간 태운다
⑤ 떡 줄 사람은 꿈도 안 꾸는데 김칫국부터 마신다

#속도

Q. 그림과 이어지는 해시태그(#)를 보고 알맞은 어휘를 골라 ☐에 V표 하시오.

①

②

③

④

정답 ① 급속 ② 가속 ③ 시동 ④ 서행

공부한 날 월 일

① 급속 / 저속

급속 급하고 빠른 속도.
예 모든 것이 급속도로 변했다.

저속 느린 속도.
예 마을버스는 저속으로 출발했다.

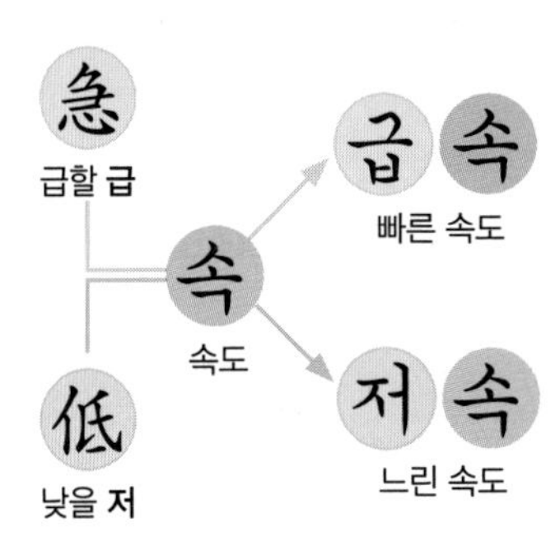

---

② 감속 / 가속

감속 속도를 줄임.
예 눈길에서는 반드시 감속 운전을 해야 한다.

가속 점점 속도를 더함.
예 눈썰매에 가속이 붙자 멈추기 힘들었다.

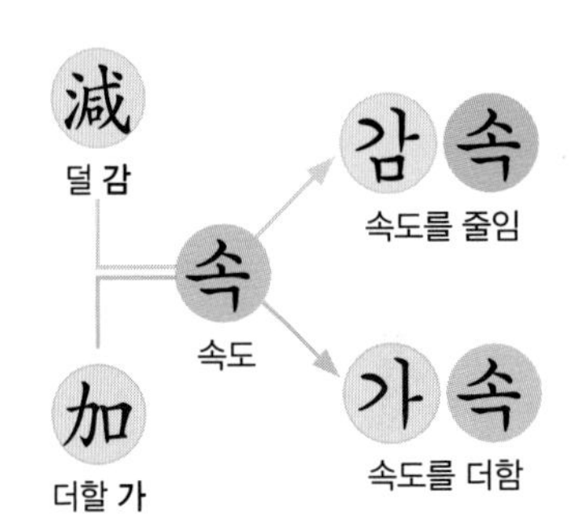

4주

---

③ 시동 / 제동

시동 기계나 자동차가 움직이게 함.
예 차에 시동을 걸고 출발했다.

제동 기계나 자동차가 멈추게 함.
예 갑작스러운 제동은 사고로 이어질 수 있다.

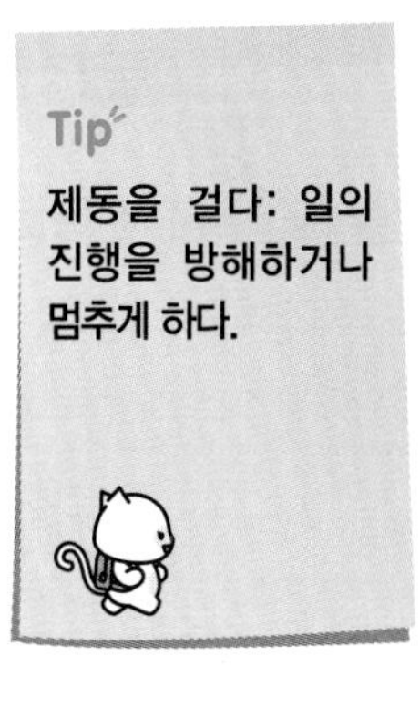

---

④ 급행 / 서행

급행 급하게 감.
예 지우는 급행 열차를 타고 고향에 내려갔다.

서행 사람이나 차가 천천히 감.
예 폭설로 인해 모든 차들이 서행하고 있다.

Tip_
'속행'은 빠르게 진행하거나 계속해서 진행한다는 뜻으로도 쓰인다.
예 심판은 중단된 경기의 속행을 지시했다.

#속도 #속담

Q. 그림과 이어지는 해시태그(#)를 보고 알맞은 속담을 골라 ▢에 V표 하시오.

돌다리도 두들겨 보고 건너라 ▢ / 기기도 전에 날기부터 하려 한다 ▢

#항상_조심하기 #횡단보도에서도_좌우로_살피기 #확인하기 #방심은_금물

돌다리도 두들겨 보고 건너라

아무리 잘 아는 일이라도 꼼꼼하게 확인하고 방심하지 말라는 뜻.

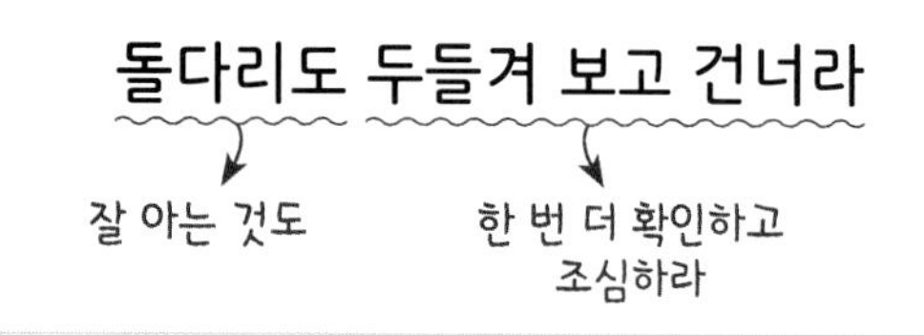

비슷한 뜻의 사자성어

심사숙고

깊게 생각하고 고민함.

기기도 전에 날기부터 하려 한다

쉬운 일도 하지 못하면서 어려운 일을 하려고 나선다는 뜻.

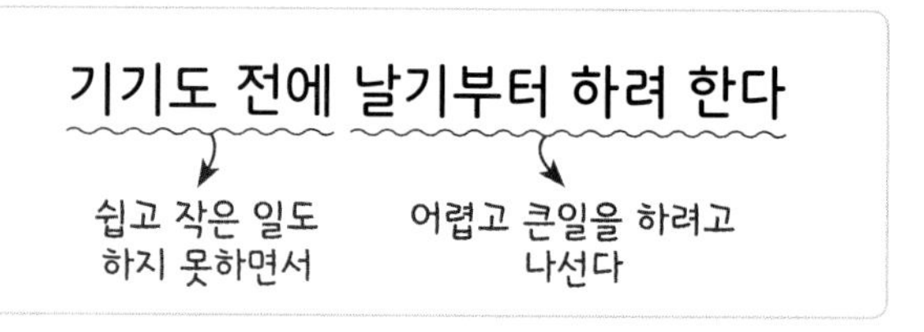

비슷한 뜻의 속담

걷기도 전에 뛰려고 한다

쉬운 일을 하지 못하면서 어려운 일을 하려고 나선다.

예 걷기도 전에 뛰려고 한다다니, 밥도 제대로 못 지으면서 김밥에 도전하겠다고?

정답 돌다리도 두들겨 보고 건너라

#속도 #사자성어

Q. 그림과 이어지는 해시태그(#)를 보고 알맞은 사자성어를 골라 ☐에 V표 하시오.

지지부진 ☐ / 전광석화 ☐

#속도 #누구보다_빠르게 #번개처럼 #발이_안_보여 #재빠르다

지지부진

일이 매우 천천히 진행되어서 나아가지 못함을 뜻하는 말.

전광석화

번갯불이나 부싯돌의 불이 번쩍거리는 것과 같이 매우 짧은 시간이나 매우 재빠른 움직임.

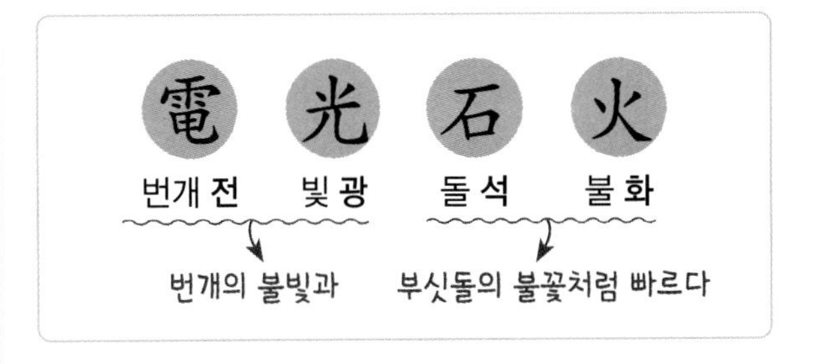

지금까지는 지지부진했지만, 다시 힘내 보자!

전광석화처럼 재빠른 달리기!

정답 전광석화

1 빈칸에 알맞은 말을 보기에서 골라 쓰시오.

보기

가속 급속 감속 시동

(1) 과학 기술은 ☐☐하게 발전하였다.

(2) 배달원이 오토바이에 ☐☐을 걸고 출발했다.

(3) ☐☐이 붙은 눈썰매는 무서운 속도로 언덕을 내려갔다.

(4) 운전이 미숙한 초보 운전자들은 서두르지 말고 반드시 ☐☐해야 한다.

2 다음 빈칸에 들어갈 말로 알맞은 것에 ○표 하시오.

비가 오는 날에는 평소에 비해 사고가 일어날 가능성이 훨씬 큽니다. 빗길 사고를 방지하기 위해서는 평소보다 20% 이상 속도를 줄여 (감속 / 가속) 운전을 해야 합니다.

3 빈칸에 '급행'과 '서행' 중 알맞은 낱말을 써넣으시오.

자동차는 어린이 보호 구역에서 30km 미만으로 ☐☐해야 합니다.

4 다음 뜻풀이를 보고 십자말풀이를 완성하시오.

[세로 열쇠 ❶] 기계나 자동차가 멈추게 함.
예 브레이크를 밟고 자전거에 ○○을 걸었다.
[가로 열쇠 ❷] 기계나 자동차가 움직이게 함.
예 아버지가 자동차에 ○○을 걸고 출발하셨다.

	❶
❷	동

5 **다음 빈칸에 들어갈 수 있는 사자성어는 무엇입니까?** ( )

사회자: 안녕하세요? '스포츠를 배우다'의 이진석입니다. 오늘 배워 볼 스포츠는 바로 '펜싱'인데요. 펜싱에 대한 궁금증을 속 시원하게 해결해 주실 김성규 교수님을 모셨습니다. 교수님, 안녕하세요?
교수님: 안녕하십니까? 김성규입니다.
사회자: 교수님, 펜싱은 검을 가지고 승패를 겨루는 스포츠이죠?
교수님: 네, 맞습니다. 두 선수가 '찌르기' 또는 '베기' 등의 동작으로 승패를 겨루는 스포츠입니다. 상대방의 검을 피하기도 하고 상대를 공격하기도 하면서 경기가 진행됩니다.
사회자: 그렇다면 펜싱의 가장 큰 매력으로는 무엇을 꼽을 수 있을까요?
교수님: ○○○○처럼 빠른 공격이 펜싱의 가장 큰 매력입니다. 정확한 동작과 빠른 공격으로 검을 주고받는 선수들을 보면 손에 땀을 쥐게 됩니다. 선수들의 긴장감 넘치는 검술을 보고 있으면 저절로 펜싱의 매력에 빠지게 되실 겁니다.
사회자: 맞습니다. 저도 우리나라 선수들이 ○○○○와 같은 공격을 해내는 모습을 자주 보았는데요. 펜싱 경기를 볼 때마다 선수들의 빠르고 정확한 공격에 감탄했던 기억이 납니다. 그렇다면 이어서 구체적인 펜싱의 규칙에 대해서 말씀해 주시겠습니까?

① 타산지석 ② 지지부진 ③ 결초보은 ④ 역지사지 ⑤ 전광석화

6 **다음 속담의 뜻으로 알맞은 것을 골라 ○표 하시오.**

기기도 전에 날기부터 하려 한다

(1) 이미 잘 알고 있는 일도 꼼꼼하게 확인한다. ( )
(2) 쉬운 일도 하지 못하면서 어려운 일을 하려고 나선다. ( )

7 **다음 사자성어와 관련 있는 설명을 선으로 이으시오.**

(1) 지지부진 •　　　• ① 몹시 짧거나 아주 재빠른 동작.
(2) 전광석화 •　　　• ② 일이 매우 더디게 진행되는 모습.

#거래

Q. 그림과 이어지는 해시태그(#)를 보고 알맞은 어휘를 골라 ☐에 V표 하시오.

① 무역 ☐ / 관세 ☐

#거래 #국경을_통과할_때 #내는_세금 #국세의_하나

② 수입 ☐ / 수출 ☐

#거래 #다른_나라에서_오다 #반입 #수출_반대말

③ 수요 ☐ / 공급 ☐

#거래 #사려고_하는_마음 #공급_반대말 #○○_예측 #○○와_공급

④ 흑자 ☐ / 적자 ☐

#거래 #손해 #적자_반대말 #결손 #○○를_보다

정답 ① 관세 ② 수입 ③ 수요 ④ 적자

① 무역

나라끼리 물건을 사고파는 것.

예 **무역**은 나라와 나라 사이에 상품을 매매하는 모든 활동을 말한다.

관세

수입하는 물건에 붙이는 세금.

예 외국에서 수입해 들어오는 상품에 붙는 세금이 **관세**이다.

Tip_
- 무역: 나라끼리 서로 사고파는 것.
- 관세: 수입하는 물건에 붙이는 세금.

② 수입

다른 나라의 상품을 사들임.

예 해외에서 다양한 상품들을 **수입**해 왔다.

수출

상품을 외국으로 팔아 내보냄.

예 **수출** 증가로 인해 상품의 생산량을 늘렸다.

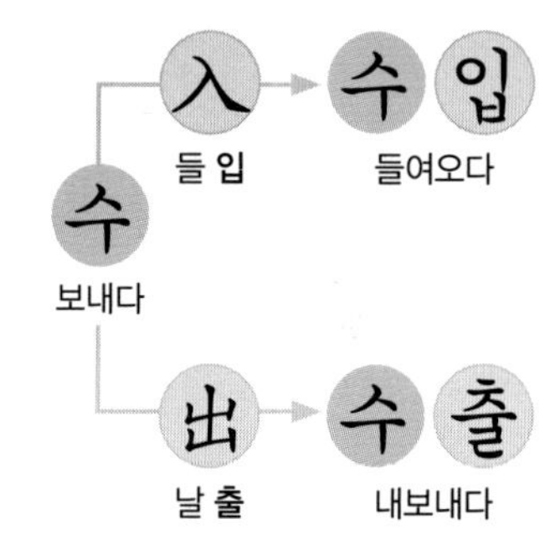

③ 수요

상품을 사고자 하는 마음.

예 물건의 가격이 비싸지면 **수요**도 낮아진다.

공급

상품을 팔려고 시장에 내놓는 것.

예 신제품을 **공급**하기 위해 열심히 제작했다.

Tip
수요가 공급보다 많다면 가격은 오르고, 공급이 수요보다 많다면 가격은 내릴 것이다.

④ 흑자

수입이 지출보다 많아서 생기는 이득.

예 우리 회사는 수출의 증가로 **흑자**를 기록했다.

적자

지출이 수입보다 많아서 생기는 손해.

예 많은 지출로 인해 **적자**를 보았다.

#거래 #속담

Q. 그림과 이어지는 해시태그(#)를 보고 알맞은 속담을 골라 ☐에 V표 하시오.

뿌린 대로 거둔다 ☐ / 밑져야 본전 ☐

#예상된_결과 #내_잘못은_내가_책임진다 #자업자득 #결국_내가_수습해

뿌린 대로 거둔다

내가 한 일에 대한 책임은 내가 지게 된다는 뜻.

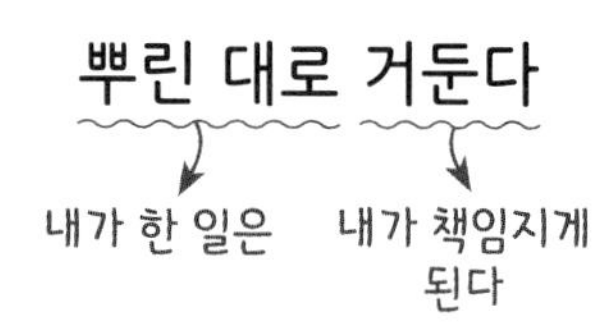

비슷한 뜻의 사자성어

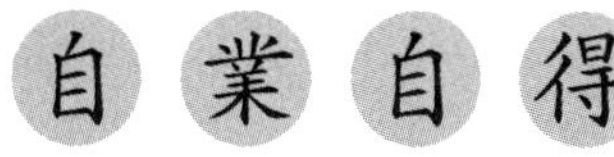

자업자득

자신이 한 일은 자신에게 돌아간다.

예 다 자업자득이죠. 반성하고 있어요.

밑져야 본전

어떤 일이 잘못되더라도 이득을 보지 못할 뿐 손해를 보지는 않을 테니 한번 해 보아야 한다는 뜻.

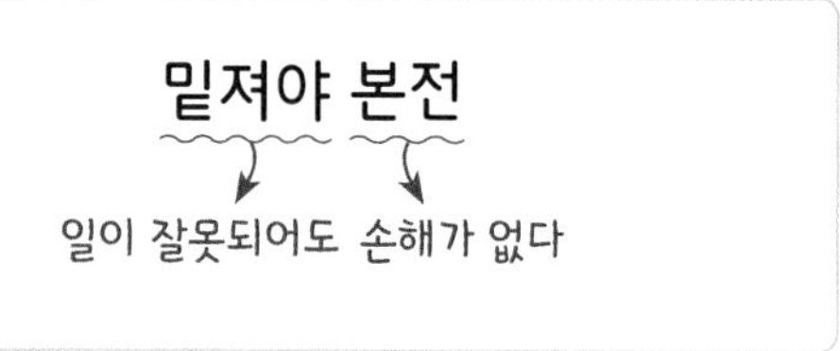

밑져야 본전이라고, 도전조차 하지 않고 도망갈 수는 없지!

정답 뿌린 대로 거둔다

#거래 #사자성어

Q. 그림과 이어지는 해시태그(#)를 보고 알맞은 사자성어를 골라 ☐에 V표 하시오.

아전인수 ☐ / 견리사의 ☐

#이기적인_태도 #나만_중요해 #내_논에_물_대기 #내가_우선 #나의_이익만_챙기기

아전인수

'자기 논에 물 대기'라는 뜻으로, 자기의 이익만 생각하고 행동한다는 말.

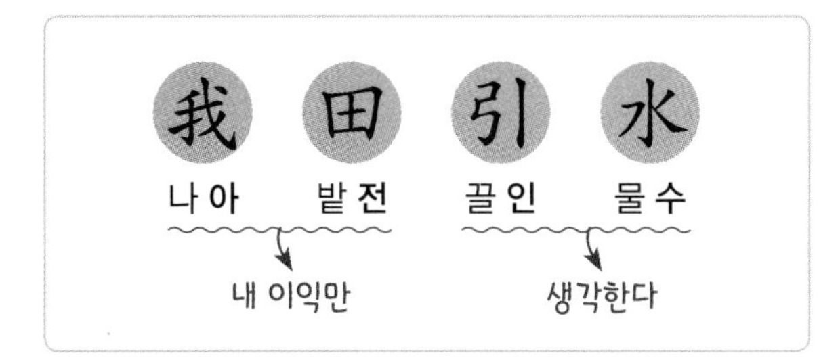

참고할 만한 사자성어

역지사지

상대방의 처지에서 생각해 보고 이해하라는 뜻.

견리사의

눈앞의 이익이 옳은지 먼저 생각한다는 뜻으로, 이득보다 옳고 그름을 먼저 따진다는 말.

놀부는 제비가 물어다 줄 박씨에 눈이 멀어 제비 다리를 부러뜨렸지.

견리사의라고, 이득을 챙기기 전에 의로운 일인지 미리 생각했어야 할 텐데!

정답 아전인수

1 빈칸에 알맞은 말을 보기에서 골라 쓰시오.

보기

관세　　수요　　수출

(1) 폭염으로 인해 아이스크림의 □□가 늘었다.

(2) 미국에서 수입된 제품에 대해 □□를 부과했다.

(3) 우리 회사의 신제품을 중국에 □□하기 위해 새로운 전략을 세웠다.

2 다음 중 '공급'의 뜻으로 가장 알맞은 것은 어느 것입니까? ( )

① 상품을 사고자 하는 마음.

② 다른 나라의 상품을 사들임.

③ 상품을 외국으로 팔아 내보냄.

④ 상품을 팔려고 시장에 내놓는 것.

⑤ 수입이 지출보다 많아서 생기는 이득.

3 다음은 '무역 흑자'의 뜻입니다. 첫소리와 해당 낱말의 뜻을 살펴보고 ❶과 ❷에 들어갈 알맞은 낱말을 쓰시오.

무역 흑자

나라와 나라 사이에서 물건을 사고팔 때 ❶ㅅㅇ보다 ❷ㅅㅊ이 많아 이윤이 남는 것.

❶ ㅅㅇ: 다른 나라의 상품을 사들임.

○○

❷ ㅅㅊ: 상품을 외국으로 팔아 내보냄.

○○

◐ 정답과 풀이 14쪽

4 다음 □ 안에 알맞은 낱말을 써넣으시오.

나라와 나라 사이에 상품을 매매하는 모든 활동을 □□이라고 한다.

5 다음 이야기를 읽고 떠올릴 수 있는 속담은 무엇입니까? ( )

은지는 강아지를 키우면 산책을 매일 두 번씩 시켜 주겠다고 다짐했지만, 생각보다 그 다짐을 매일 지키기는 쉽지 않았습니다. 산책을 가려고 하면 약속이 생기고, 산책하러 가려고 하면 밀린 숙제가 생각났기 때문입니다.

은지는 어느덧 세 살이 된 강아지 감자와 최대한 시간을 많이 보내기 위해 토요일을 '특별 산책'의 날로 정했습니다. '특별 산책'을 하는 날은 평소에 늘 다니던 아파트 단지나 공원을 걷는 산책이 아니라, 산에 올라가 더 신나고 긴 산책을 하는 날입니다. 감자는 유난히 산을 타는 것을 좋아했기 때문에 토요일만큼은 힘들지만 늘 산을 찾았습니다.

은지가 직접 정한 '특별 산책'이었지만 친구와 심하게 싸운 뒤의 산책이라 어쩐지 지겹기만 했습니다. 산 근처에 오자 신이 나서 이리저리 방방 뛰어다니는 감자와 달리, 은지는 빨리 산책을 마치고 집에 돌아가고 싶은 마음뿐이었습니다. 산책을 하던 중, 감자가 산 입구에서 똥을 싸는 모습을 보았지만, 모든 것이 귀찮고 짜증 났던 은지는 갑자기 심술 맞은 생각이 들었습니다.

'어차피 보는 사람도 없는데……. 오늘만 그냥 가자. 오늘은 나도 우울하니까.'

그러면 안 된다는 것을 알고 있었지만, 은지는 딱 하루만 못 본 척하고 똥을 치우지 않기로 했습니다. 은지는 감자를 데리고 서둘러 산에 올라갔습니다. 지루했던 산책을 마치고 산에서 내려오던 은지는 무언가 물컹하고 밟히는 느낌이 들었습니다. 발에서 느껴지는 이상한 감촉에 바닥을 내려다보니 아까 모른 체하고 지나갔던 감자의 똥이 신발에 잔뜩 묻어 있었습니다.

① 우물 안 개구리
② 뿌린 대로 거둔다
③ 꿩 먹고 알 먹는다
④ 같은 값이면 다홍치마
⑤ 가랑잎이 솔잎더러 바스락거린다고 한다

6 다음 사자성어의 뜻으로 알맞은 것을 선으로 이으시오.

(1) 견리사의 •　　　　• ① 자기의 이익만 생각하고 행동한다는 말.

(2) 아전인수 •　　　　• ② 이득보다 옳고 그름을 먼저 따진다는 말.

#농사

Q. 그림과 이어지는 해시태그(#)를 보고 알맞은 어휘를 골라 ▢에 V표 하시오.

① 두렁 ▢ / 이엉 ▢

#농사 #작은_둑 #논과_논_사이 #논○○ #밭의_경계

② 달구지 ▢ / 경운기 ▢

#농사 #농기구 #농업_기계 #밭_갈기 #운반도_가능

③ 모내기 ▢ / 김매기 ▢

#농사 #모심기 #벼농사 #논 #옮겨_심기 #이앙기로_편하게

④ 품앗이 ▢ / 두레 ▢

#농사 #협력 #서로_거들어_주기 #품 #품팔이는_아니란다

정답 ① 두렁 ② 경운기 ③ 모내기 ④ 품앗이

① 두렁 / 이엉

두렁

논과 논 사이에 있는 작은 둑. 통로 역할을 한다.

예 두렁에 콩을 심었다.

이엉

초가집의 지붕을 만들기 위해 짚으로 엮은 물건.

예 짚으로 이엉을 만들어 지붕을 이었다.

▲ 논과 논 사이 경계에 있는 것이 두렁이다.

② 달구지 / 경운기

달구지

소나 말이 끄는 짐수레.

예 아버지께서는 소달구지를 끌고 장에 가셨다.

경운기

밭을 갈거나, 씨를 뿌리는 농경 작업을 하는 기계.

예 농촌에서 경운기는 농사뿐 아니라 교통수단으로도 유용하게 활용된다.

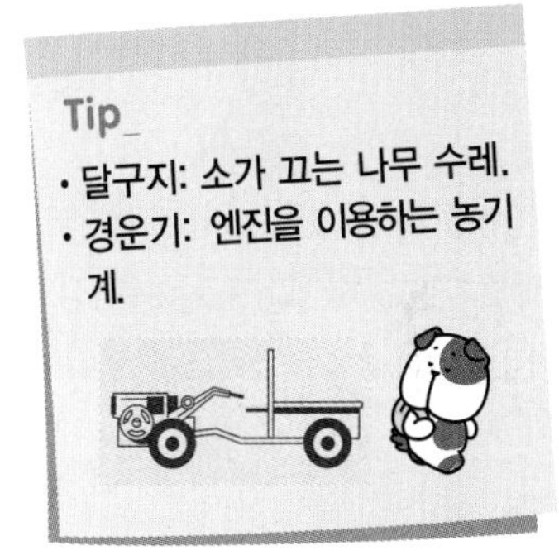

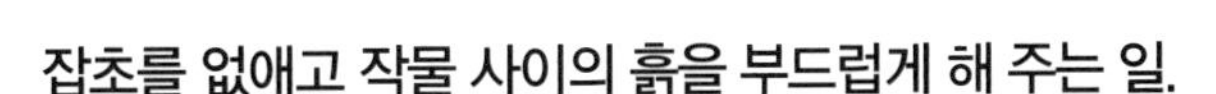

③ 모내기 / 김매기

모내기

못자리에서 기른 모를 논에 옮겨 심는 일.

예 조선 후기에는 모내기를 통해 벼 수확량을 2배로 늘렸다.

김매기

잡초를 없애고 작물 사이의 흙을 부드럽게 해 주는 일.

예 김매기를 통해 작물에 공급되는 양분을 빼앗는 잡초를 제거해야 한다.

▲ 모내기하는 모습

④ 품앗이 / 두레

품앗이

농촌에서 힘든 일을 서로 거들어 주면서 협동하는 것.

예 품앗이는 한국의 공동 노동 중 역사적으로 가장 오래된 공동 노동이다.

두레

농사일을 공동으로 하기 위하여 마을 단위로 만든 조직.

예 조상들은 두레를 만들어 상부상조하며 농사일을 하였다.

Tip
• 품앗이: 개인들이 서로 도움
• 두레: 조직에서 노동을 제공

4주

#농사 #속담

Q. 그림과 이어지는 해시태그(#)를 보고 알맞은 속담을 골라 ☐에 V표 하시오.

벼는 익을수록 고개를 숙인다 ☐ / 좋은 농사꾼에게는 나쁜 땅이 없다 ☐

#겸손 #훌륭하고_겸손한_사람 #자신을_낮추는_태도 #낮은_자세로

벼는 익을수록 고개를 숙인다

벼가 익으면 무거워서 고개가 기울어지는 것처럼, 지식의 정도가 높고 훌륭한 사람일수록 자신을 낮추고 겸손하게 행동한다는 뜻.

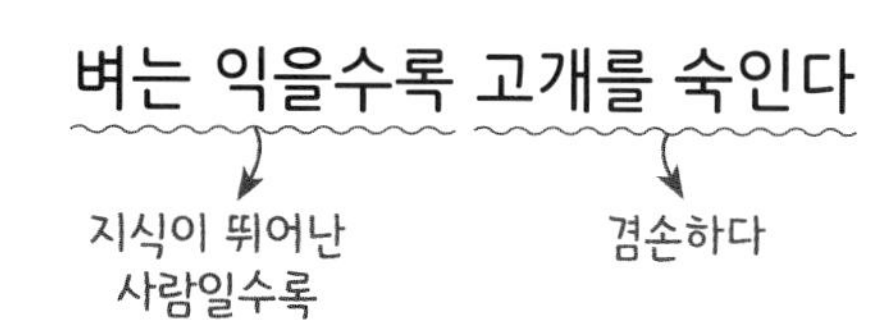

벼가 익을수록 고개를 숙이는 것처럼, 늘 겸손하게!

좋은 농사꾼에게는 나쁜 땅이 없다

열심히 농사를 짓는 사람은 나쁜 땅을 탓하지 않는 것처럼, 모든 일은 내가 하기 나름이라는 뜻.

좋은 농사꾼에게는 나쁜 땅이 없다

나만 잘한다면 (훌륭한 사람은) → 방해되는 것은 없다 (환경 탓을 하지 않음)

좋은 땅, 나쁜 땅이 어디 있어! 매사에 열심히 하는 거지!

정답 벼는 익을수록 고개를 숙인다

#농사 #사자성어

Q. 그림과 이어지는 해시태그(#)를 보고 알맞은 사자성어를 골라 □에 V표 하시오.

주경야독

낮에는 농사짓고 밤에는 글을 읽는다는 뜻으로, 어려운 상황에서도 꿋꿋하게 공부한다는 뜻.

낮에는 농사짓고!

밤에는 공부하기!

신토불이

몸과 땅은 하나라는 뜻으로, 자신이 태어난 곳에서 나온 먹거리가 자기 몸에 더 잘 맞는다는 뜻.

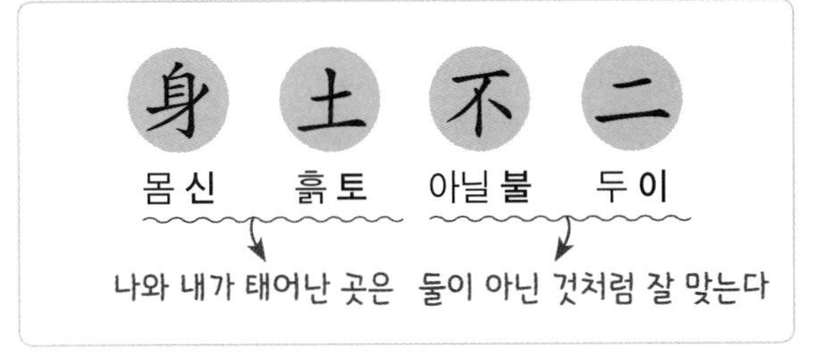

신토불이라고, 우리 땅에서 나는 우리 농산물이 최고지!

정답 주경야독

1 빈칸에 알맞은 말을 보기에서 골라 쓰시오.

보기

경운기　　품앗이　　모내기

(1) 요즘은 이앙기로 □□□를 한다.

(2) 두레와 □□□는 우리나라 농촌 공동체의 협동 체계이다.

(3) 농촌에 □□□가 보급되면서 달구지를 사용하는 풍경을 보기가 힘들어졌다.

2 다음 □ 안에 알맞은 낱말을 써넣으시오.

*농번기에 농사일을 공동으로 하기 위하여 마을 단위로 만든 조직을 □□라고 한다.

*농번기: 농사일이 매우 바쁜 시기.

3 다음 중 '김매기'의 뜻으로 가장 알맞은 것은 어느 것입니까? ( )

① 논밭의 잡초를 뽑는 일.

② 모를 못자리에서 논으로 옮겨 심는 일.

③ 힘든 일을 서로 거들어 주면서 돕는 일.

④ 곡식의 이삭을 떨구어서 낟알을 거두는 일.

⑤ 곡식을 거두기 위해 이삭이나 열매만을 따는 일.

4 다음과 같은 뜻을 가진 낱말을 쓰시오.

뜻 논과 논 사이에 있는 작은 둑. 통로 역할을 한다.

예 □□은 농부들이 지친 몸을 잠시 뉘이고 새참을 먹는 쉼터의 역할도 한다.

( )

5 **다음 이야기에서 떠올릴 수 있는 속담은 무엇입니까?** .... (　　　)

철학자이자 의사이며 선교사였던 슈바이처 박사는 1913년 아프리카로 건너가 원주민의 의료와 전도에 힘썼습니다. 약 60년간 아프리카에서 병들고 가난한 이들을 돌본 슈바이처 박사는 그 공로를 인정받아 1952년 노벨 평화상을 수상하게 됩니다.

그는 시상식에 참석하기 위하여 파리에서 기차를 타고 덴마크로 갈 계획이었습니다. 위대한 슈바이처 박사가 파리에 도착했다는 소식을 듣고 많은 기자들은 기차역으로 몰려들었습니다. 기자들은 슈바이처가 타고 있는 기차에 올라타 특등실로 우르르 달려갔습니다. 하지만 특등실 그 어디에도 슈바이처 박사는 없었습니다. 다시 특등실보다 조금 낮은 등급의 일등칸으로 슈바이처 박사를 찾으러 갔지만 그곳에도 슈바이처 박사는 없었습니다. 또다시 이등칸으로 가 보았으나 거기에도 박사는 없었습니다. 결국 허탈해진 기자들은 모두 취재를 포기하고 돌아갔습니다.

하지만 영국의 기자 한 명이 혹시나 하고 삼등칸을 기웃거리다가 슈바이처 박사를 발견했습니다. 좁고 악취로 가득한 삼등칸에서 슈바이처 박사는 가난한 사람들을 진료하고 있었습니다. 화들짝 놀란 기자는 슈바이처 박사에게 달려가 물었습니다.

"박사님! 박사님처럼 위대하신 분이 어찌 삼등칸에 계십니까?

기자의 말을 들은 슈바이처 박사는 이마의 땀을 닦으며 대답하였습니다.

"사등칸이 없었기 때문입니다."

"아니, 대체 왜 더럽고 불편한 곳에서 힘들게 고생하고 계십니까?"

"저는 편안한 곳을 찾아다니는 것이 아니라 저의 도움이 필요한 곳을 찾아다닙니다. 특등실에 탄 사람들은 저를 필요로 하지 않으니 이곳에 있는 것입니다."

① 쇠똥도 약에 쓰려면 없다
② 고래 싸움에 새우 등 터진다
③ 벼는 익을수록 고개를 숙인다
④ 좋은 농사꾼에게는 나쁜 땅이 없다
⑤ 산에 가야 꿩을 잡고 바다에 가야 고기를 잡는다

6 **다음 사자성어와 관련 있는 설명을 선으로 이으시오.**

(1) 주경야독 •　　　　• ① 바쁘고 어려운 상황에서도 꿋꿋하게 공부한다는 뜻.

(2) 신토불이 •　　　　• ② 자신이 태어난 곳에서 나온 먹거리가 자기 몸에 더 잘 맞는다는 뜻.

누구나 100점 TEST

1 다음 빈칸에 들어갈 알맞은 말에 ○표 하시오.

운전을 하다가 위의 도로 표지판을 본다면, 운전자는 (급행 / 서행)해야 한다.

2 다음 밑줄 그은 낱말이 잘못 쓰인 것은 무엇입니까? ( )

① 과자는 공장에서 생산된다.
② 차에 제동을 걸고 출발했다.
③ 화폐의 발명으로 은행이 생겨났다.
④ 그의 자백은 모두 허위였음이 밝혀졌다.
⑤ 추석 연휴로 인해 열차의 좌석은 모두 매진되었다.

3 다음 뜻에 알맞은 낱말을 보기에서 찾아 쓰시오.

보기: 예금 이자 유통 소비

(1) 상품을 사거나 이용하는 것.
( )

(2) 남에게 돈을 빌려 쓴 대가로 내는 일정한 비율의 돈.
( )

4 다음 빈칸에 들어갈 알맞은 말은 무엇입니까? ( )

'□'(이)라는 사자성어는 근거 없이 떠도는 소문이나 이야기라는 뜻으로, 헛소문을 뜻하는 말이다.

① 유비무환 ② 유언비어
③ 감언이설 ④ 소탐대실
⑤ 지지부진

5 다음 그림을 보고 빈칸에 들어갈 말은 무엇인지 쓰시오.

(1)

돈이 없던 옛날에는 쌀과 옷감을 바꾸고, 옷감과 고기를 바꾸는 □□□□을 했다.

(2)

물건과 물건을 맞교환하는 것에 대한 불편함으로 생겨난 것이 □□이다.

◐ 정답과 풀이 15쪽 점수 점

6 다음 속담의 뜻으로 알맞은 것은 어느 것입니까? ( )

굳은 땅에 물이 고인다

① 큰 소문에 비하여 실속이 없다.
② 실속 없는 사람이 겉으로만 더 떠들어댄다.
③ 굳게 마음을 먹고 해야 좋은 결과를 얻는다.
④ 꾸준히 노력하면 원하는 것을 이룰 수 있다.
⑤ 잘 아는 것도 꼼꼼하게 확인하고 방심하지 말아야 한다.

7 다음에서 설명과 관련된 말은 무엇입니까?

(1) 점점 속도를 더함.
(감속 / 가속)

(2) 기계나 자동차가 멈추게 함.
(시동 / 제동)

8 다음에서 설명하는 내용과 관련 있는 낱말은 무엇입니까? ( )

- 농경 작업을 하는 기계.
- 흙덩이를 부수고 논밭을 갈 때 사용함.
- 무거운 농기구나 농산물을 운반할 때에도 쓰임.

① 두렁 ② 이엉
③ 경운기 ④ 달구지
⑤ 품앗이

9 ㉠과 ㉡에 들어갈 말을 알맞게 늘어놓은 것은 어느 것입니까? ( )

㉠ 란 농번기에 농사일을 공동으로 하기 위해 마을 단위로 만든 조직입니다. 모를 논에 옮겨 심는 ㉡ 처럼 일시적으로 많은 노동력이 필요한 농사일을 돕기 위해 만들어진 조직입니다.

	㉠	㉡
①	두레	김매기
②	두레	모내기
③	품앗이	김매기
④	품앗이	모내기
⑤	품앗이	달구지

10 다음은 무엇에 대한 설명인지 알맞은 것끼리 선으로 이으시오.

(1) 상품을 사고 싶은 마음. • • ① 수입
(2) 다른 나라의 상품을 사들임. • • ② 수요
(3) 상품을 팔려고 시장에 내놓는 것. • • ③ 공급

4주

4주
특강

창의·융합·코딩 1

어휘 플러스

뜬금없다

웅성
웅성
왔어요!
청나라 최고급
비단이 왔습니다!
꽃신 사 주세요.
쨍
쨍
엿 사시오~
엿을 사시오!
장날이라
북적북적하네!
자! 마지막이니
떨이로 드리리다.
아이고,
고맙소!
이 돈이면 한 달치 쌀은
충분히 사겠군.
찰
랑
요즘 쌀 한 말에
얼마요?
오늘은 아홉 냥.
엥? 엊그제도
닷 냥이었잖소.
그건 오늘이 아니라
엊그제였잖소!

뜬금은 떠 있는, 일정하지 않고 시세에 따라 달라지는 금액을 뜻해.
뜬금 몰라? 매일 달라지는 값이 바로 뜬금!
하루 만에 그런 법이 어딨소?

오늘 뜬금은 한 말에 아홉 냥.
九

완전히 엿장수 맘대로구먼!
난 엿장수가 아니라 쌀장수라네!

이 중에 어떤 것이 필요하오?

'뜬금없다'는 갑자기 변하는 시세처럼 갑작스럽고 엉뚱하다는 뜻이야.
그 가격 참 뜬금없네! 난 안 사겠소.
내가 받고 싶은 만큼 받겠다는데 뭐가 뜬금없어?
주인이 손님에게 왜 화를 내지? 뜬금없네!

후에 뜬금이라는 말은 없어졌지만 '뜬금없다'는 아직도 흔히 쓰이고 있어.
선생님 내일 몇 시까지 등교해야 해요?
갑자기 그게 무슨 뜬금없는 소리죠?
바보 아니니? 내일 토요일이거든?

창의·융합·코딩 ❷

사고 쑥쑥

1

질문에 대한 알맞은 대답을 찾아 화살표로 가는 길을 표시해 보세요.

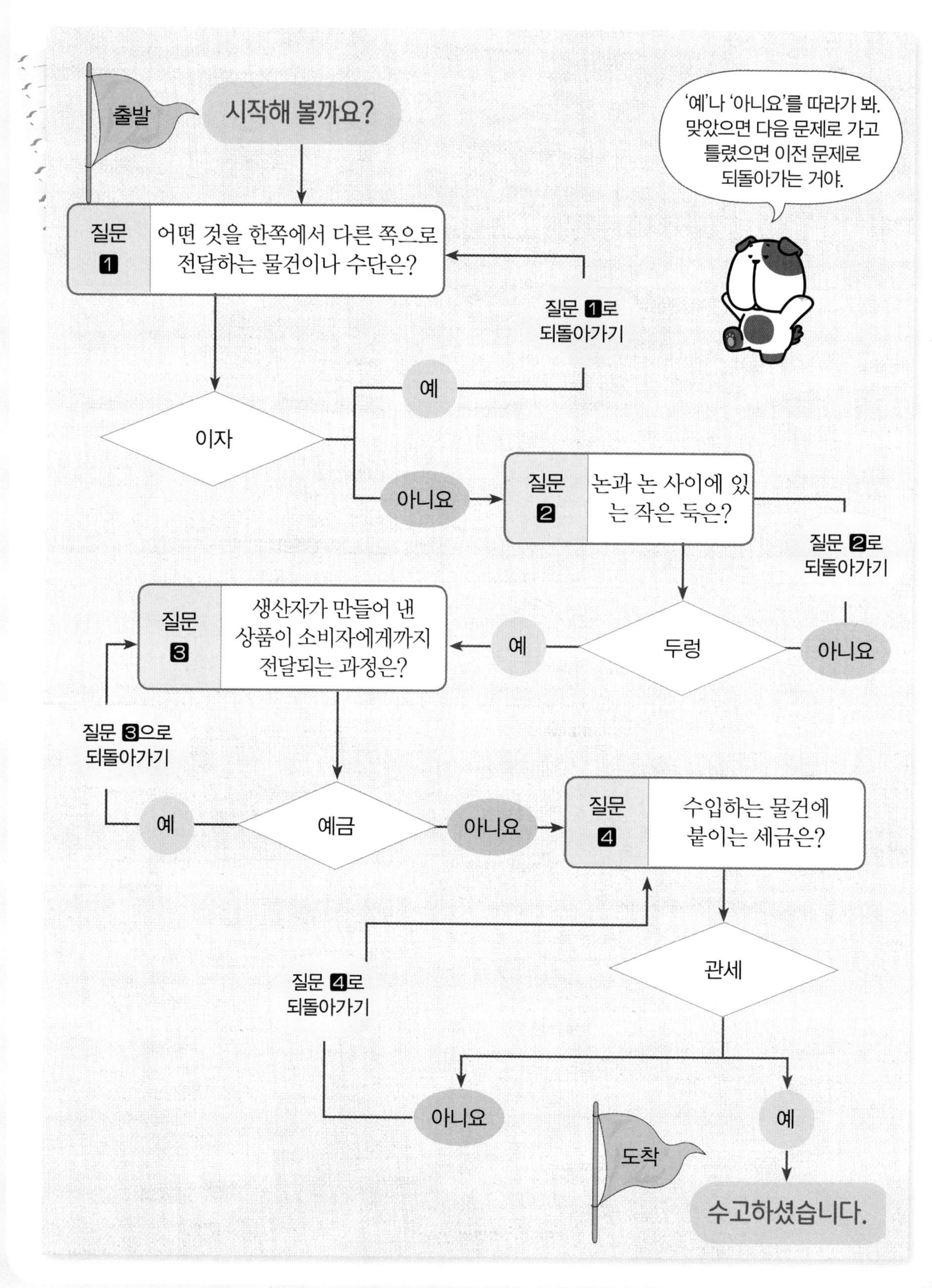

2 ☐ 안에 들어갈 사자성어를 말 상자에서 모두 찾아 ○표를 하세요. 말 상자의 사자성어는 가로, 세로, 대각선에 숨어 있어요.

① ☐은 작은 것을 욕심내다가 큰 손실을 입는다는 뜻의 사자성어이다.
② ☐는 번갯불이나 부싯돌의 불이 번쩍거리는 것과 같은 매우 재빠른 움직임을 뜻하는 사자성어이다.
③ ☐은 달콤한 말과 이로운 이야기라는 뜻으로, 상대방에게 잘 보이거나 설득하기 위해 하는 말을 뜻한다.
④ ☐은 낮에는 농사를 짓고 밤에는 글을 읽는다는 뜻으로, 어려운 상황에서도 열심히 공부한다는 뜻의 사자성어이다.

전	회	주	경	야	독
교	광		보	청	상
소	조	석	근	로	
탐	경	보	화	글	국
대		평	재	방	보
실	인	감	언	이	설

4 주

똑똑한 하루 어휘

6단계 B 어휘 모음

유사 어휘

ㄱ 가연성	불에 잘 탈 수 있거나 타기 쉬운 성질.	불연성	불에 타지 않는 성질.	25쪽
감속	속도를 줄임.	가속	점점 속도를 더함.	149쪽
객주	조선 시대에, 다른 지역에서 온 상인들의 거처를 제공하며 물건을 맡아 팔던 상인.	사공	배를 부리는 일을 직업으로 하는 사람.	37쪽
거간꾼	흥정을 붙이는 일을 하는 사람.	보부상	봇짐 장수와 등짐 장수.	37쪽
견해	물건이나 상황에 대한 자기의 의견이나 생각.	편견	공정하지 못하고 한쪽으로 치우친 생각.	97쪽
경각심	정신을 차리고 주의 깊게 경계하는 마음.	경외심	공경하면서 두려워하는 마음.	73쪽
골격	동물의 체형을 이루고 몸을 지탱하는 뼈.	근육	뼈를 감싸는 힘줄과 살.	67쪽
공익	사회 전체의 이익. 공동의 이익.	사익	개인의 이익.	137쪽
귀인	사회적 지위가 높고 귀한 사람.	위인	뛰어나고 훌륭한 사람.	55쪽
극치	도달할 수 있는 최고의 경지.	가치	한 사람이 살아가며 중요하게 여기거나 옳다고 믿는 것.	55쪽
급속	급하고 빠른 속도.	저속	느린 속도. 예 버스는 저속으로 달렸다.	149쪽
급행	급하게 감. 예 지우는 급행 열차를 탔다.	서행	사람이나 차가 천천히 감.	149쪽
기부	자선 사업이나 공공사업을 돕기 위하여 돈이나 물건 등을 대가 없이 내놓음.	기증	선물·기념으로 남에게 물건을 거저 줌.	31쪽
기척	누가 있는 줄을 짐작하여 알 만한 소리.	기색	마음의 작용으로 얼굴에 드러나는 빛.	61쪽
냉철하다	감정에 휘둘리지 않고 침착하다.	냉정하다	태도가 정답지 않고 차갑다.	13쪽
ㄴ 농도	용액의 진하거나 묽은 정도.	점도	용액의 끈적거리는 정도.	109쪽
눈꼬리	귀 쪽으로 가늘게 좁혀진 눈의 가장자리.	눈시울	눈언저리의 속눈썹이 난 곳.	19쪽
ㄷ 단호하다	태도나 입장, 마음먹은 것이 엄격하다.	단언하다	망설이지 않고 딱 잘라 말하다.	13쪽
달구지	소나 말이 끄는 짐수레.	경운기	밭을 갈거나 씨를 뿌리는 농경 작업을 하는 기계.	161쪽
담수	강이나 호수와 같이 염분이 적은 물.	해수	바닷물. 바다에 있는 짠물.	109쪽
댓돌	한옥에 오르내릴 수 있게 놓은 돌계단.	주춧돌	한옥의 기둥 밑에 놓인 기초가 되는 돌.	103쪽
돌	아이가 태어난 날로부터 한 해가 되는 날.	배냇저고리	갓난아이가 태어나면서 처음 입는 옷.	121쪽
동정심	남의 어려운 처지를 안타깝게 여기는 마음.	동경심	어떤 것을 간절히 그리워하여 그것만을 생각하는 마음.	73쪽
두렁	논과 논 사이에 있는 작은 둑.	이엉	초가집의 지붕을 만들려고 짚으로 엮은 것.	161쪽
등잔	기름을 담아 등불을 켜는 데에 쓰던 옛 도구.	지게	짐을 얹어 사람이 등에 지는 운반 기구.	115쪽
ㅁ 마름	농사짓는 땅의 주인을 대신하여, 소작농들에게 소작료를 받고 관리하는 사람.	아전	조선 시대에 중앙과 지방 관아에서 일하던 공무원.	37쪽
매진	하나도 남지 않고 모두 다 팔림.	매출	물건을 판매하는 일.	137쪽
명랑하다	유쾌하고 활발하다.	맹랑하다	하는 짓이 똘똘하고 깜찍하다.	13쪽
명절	우리 민족이 전통적으로 지켜온 기념일.	절기	해의 움직임에 따라 1년을 24개로 나눈 것.	121쪽
모내기	못자리에서 기른 모를 논에 옮겨 심는 일.	김매기	잡초를 없애고 흙을 부드럽게 해주는 일.	161쪽
무난하다	큰 문제나 어려움이 없다.	특별하다	보통과 구별되게 다르다.	97쪽

유사 어휘

무역	나라끼리 물건을 사고파는 것.	관세	수입하는 물건에 붙이는 세금.	155쪽
문득	생각이나 느낌이 갑자기 떠오르는 모양.	어느새	어느 틈에 벌써. 예 어느새 겨울이다.	97쪽
묽다	물기가 많다.	되다	물기가 적어 빡빡하다.	109쪽
미간	눈썹과 눈썹 사이.	관자놀이	귀와 눈 사이의 맥박이 뛰는 곳.	19쪽
배설	소화하고 흡수한 뒤 생긴 노폐물을 몸 밖으로 내보내는 일.	호흡	숨을 쉼. / 생물이 산소를 흡수하고 이산화 탄소를 몸 밖으로 내보내는 것.	67쪽
백정	소나 개, 돼지 등을 잡는 일을 직업으로 하는 사람.	갖바치	예전에, 가죽신을 만드는 일을 직업으로 하던 사람.	37쪽
보상	빌린 것을 갚음. / 어떤 것에 대한 대가를 줌.	보답	남의 호의나 은혜를 갚음.	31쪽
비겁하다	속이 좁고 겁이 많다.	치사하다	재물을 아끼는 태도가 지나쳐 남부끄럽다.	13쪽
산성	산의 성질. 예 식초는 산성 물질이다.	염기성	염기의 성질. 예 비누는 염기성 물질이다.	109쪽
상황	일이 되어 가는 과정이나 형편.	실황	실제의 상황.	55쪽
생산	상품을 만들어 내는 것.	소비	상품을 사거나 이용하는 것.	143쪽
서까래	한옥에서 지붕을 받치는 갈비뼈 모양의 나무.	대들보	한옥의 기둥과 기둥 사이에 놓인 큰 나무.	103쪽
선거권	선거에 참가하여 투표를 할 수 있는 권리.	참정권	국민이 정치에 참여하는 권리.	79쪽
소화	먹은 음식물을 분해하여 영양분을 흡수하기 쉬운 형태로 변화시키는 일.	흡수	위장이나 창자에서 영양소 및 물을 거두어들이는 일.	67쪽
수여	증서, 상장, 훈장 등을 줌.	부여	사람에게 권리나 명예를 지니도록 해 줌. / 사물이나 일에 가치 등을 붙여 줌.	31쪽
수요	상품을 사고자 하는 마음.	공급	상품을 팔려고 시장에 내놓는 것.	155쪽
수입	다른 나라의 상품을 사들임.	수출	상품을 외국으로 팔아 내보냄.	155쪽
시동	기계나 자동차가 움직이게 함.	제동	기계나 자동차가 멈추게 함.	149쪽
아궁이	한옥 부엌에 있는 솥과 방에 불을 지피기 위하여 만든 구멍.	온돌	아궁이의 열기가 방바닥 아래를 통과하여 방을 따뜻하게 만드는 장치.	103쪽
안면	머리의 앞면. / 서로 얼굴을 알 만한 친분.	안색	얼굴에 나타나는 표정이나 빛깔.	61쪽
업적	어떤 사업이나 연구, 삶에서 이루어낸 일.	실적	실제로 이룬 업적이나 공적.	55쪽
여론	사회 여러 사람들의 공통된 의견.	유세	선거에 나간 후보자가 자신을 뽑아 달라고 홍보하며 돌아다니는 일.	79쪽
연소	물질이 산소를 만나 열과 빛을 내며 탐.	소화	불을 끄는 것. 예 소화기 어딨니?	25쪽
예금	은행이나 우체국에 돈을 맡기는 일.	이자	돈을 빌려 쓴 대가로 내는 일정한 돈.	143쪽
유통	상품이 소비자에게까지 전달되는 과정.	물물 교환	물건과 물건을 서로 맞교환하는 것.	143쪽
인성	사람의 성품. 예 인성 교육도 중요하다.	인상	사람 얼굴의 생김새.	61쪽
인중	코와 윗입술 사이에 오목하게 골이 진 곳.	보조개	웃을 때에 볼에 움푹 들어가는 자국.	19쪽
인화점	기름 같은 물질이 작은 불꽃에 의하여 불이 붙는 가장 낮은 온도.	발화점	어떤 물질을 가열할 때 스스로 불이 붙어 타기 시작하는 가장 낮은 온도.	25쪽
자존심	남에게 굽히지 아니하고 자신의 품위를 스스로 지키는 마음.	자긍심	스스로 자신을 믿으며 당당하게 생각하는 마음.	73쪽
절구	곡식을 찧거나 빻으며 떡을 치기도 하는 기구.	맷돌	콩이나 팥 등의 곡식을 가는 데 쓰는 기구.	115쪽
점화	불을 붙이거나 켜는 것.	점등	등에 불을 켬. 예 점등 스위치를 눌렀다.	25쪽
정맥	우리 몸의 각 부분에서 심장 쪽으로 피를 보내는 혈관.	동맥	심장에서 피를 몸의 각 부분에 보내는 중요한 혈관.	67쪽

ㅂ ㅅ ㅇ ㅈ

유사 어휘

	어휘	뜻	유사 어휘	뜻	쪽
	증정	어떤 물건을 성의 표시나 축하 인사로 줌.	제공	무엇을 내주거나 가져다 바침.	31쪽
ㅊ	차례	설이나 추석 등 명절에 조상님께 지내는 제사.	성묘	조상의 무덤을 찾아가서 손질하고 살피는 일.	121쪽
	초가집	짚으로 지붕을 만들어 지은 우리나라의 옛집.	기와집	기와로 지붕을 만들어 지은 우리나라의 옛집.	103쪽
ㅋ	콧방울	코끝 양쪽으로 둥글게 방울처럼 내민 부분.	콧대	콧등의 우뚝한 줄기.	19쪽
	키	곡식에서 불순물을 골라내는 도구.	체	가루를 곱게 치거나 거르는 데 쓰는 기구.	115쪽
ㅌ	투표	선거를 할 때 투표용지에 뜻을 표시하여 일정한 곳에 내는 일.	선거공약	선거에 나온 후보자가 자신이 뽑히면 어떤 일을 하겠다고 약속하는 것.	79쪽
ㅍ	표현	생각·느낌을 말이나 행동을 통해 나타냄.	반박	어떤 의견이나 주장에 반대함.	97쪽
	품앗이	농촌에서 힘든 일을 서로 거들어 주면서 협동하는 것.	두레	농사일을 공동으로 하기 위하여 마을 단위로 만든 조직.	161쪽
ㅎ	핼쑥하다	얼굴에 핏기가 없고, 살이 빠진 듯하다.	말쑥하다	지저분함이 없이 말끔하고 깨끗하다.	61쪽
	허위	사실이 아닌 것을 사실인 것처럼 꾸민 것.	과장	사실보다 지나치게 부풀려서 나타냄.	137쪽
	호기심	새롭고 신기한 것을 좋아하거나 모르는 것을 알고 싶어 하는 마음.	노파심	필요 이상으로 남의 일을 걱정하고 염려하는 마음.	73쪽
	호미	김을 매거나 작물을 캘 때 쓰는 농기구.	쟁기	논밭을 가는 농기구.	115쪽
	혼례	남자와 여자가 부부가 되고 평생 함께할 것을 약속하는 의식.	환갑	예순한 살을 뜻하는 말.	121쪽
	홍보	생각이나 계획 등을 널리 알리는 활동.	매체	어떤 것을 한쪽에서 다른 쪽으로 전달하는 물건이나 수단.	137쪽
	화폐	돈. 동전, 지폐 따위.	물가	물건의 값. 여러 물건의 평균적인 가격.	143쪽
	후보자	선거에서 뽑혀 어떤 직위나 신분을 얻으려고 일정한 자격을 갖추어 나선 사람.	유권자	선거에서 투표할 권리를 가진 사람.	79쪽
	흑자	수입이 지출보다 많아서 생기는 이득.	적자	지출이 수입보다 많아서 생기는 손해.	155쪽

관용어 / 사자성어

어휘	뜻	쪽
감언이설	달콤한 말과 이로운 이야기라는 뜻으로, 상대방에게 잘 보이거나 설득하기 위해 하는 말.	139쪽
견리사의	눈앞의 이득보다는 옳고 그름을 먼저 따진다는 말.	157쪽
괄목상대	눈을 비비고 상대편을 본다는 뜻으로, 남의 학식이나 재주가 놀랄 만큼 늘어난 것을 이르는 말.	21쪽
구사일생	죽을 고비를 여러 차례 넘기고 겨우 살아난다는 뜻.	57쪽
기고만장	기운이 아주 높게 뻗음. ⓔ 너무 기고만장하지 마라. 겸손할 줄 알아야지.	99쪽
노심초사	몹시 마음을 쓰며, 애를 태움.	75쪽
동량지재	건물의 기둥처럼, 사회나 가정의 중심이 될 만한 훌륭한 인재를 뜻하는 말.	105쪽
등화가친	등불을 가까이할 만하다는 뜻으로, 서늘한 가을밤은 등불을 켜고 글 읽기에 좋다는 말.	27쪽
떡이 생기다	뜻밖의 이득이 생김. ⓔ 어른들 말씀을 잘 들으면 자다가도 떡이 생긴다.	123쪽
명약관화	불을 보는 것처럼 밝다는 말로, 매우 분명하고 뻔하다.	27쪽
목불식정	눈으로 보고도 丁(정)같이 쉬운 글자를 모른다는 뜻으로 아는 것이 없음을 뜻하는 말.	117쪽
물 건너가다	일의 상황이 끝나 어떠한 조치를 할 수 없다.	111쪽
물 쓰듯 하다	돈이나 물건을 흥청망청 씀.	111쪽
민족주의	민족 스스로의 독립과 통일을 가장 중요하게 여기는 사상.	80쪽

민주주의	국민이 권력을 가지고 그 권력을 스스로 행사하는 제도. 또는 그러한 정치를 목표로 하는 사상.	80쪽
반신반의	얼마쯤 믿으면서도 한편으로는 의심함.	75쪽
뼈를 묻다	단체나 조직에 평생토록 헌신하다. 예 한 회사에 뼈를 묻을 필요는 없다.	69쪽
살을 붙이다	바탕에 여러 가지를 덧붙여 보태다.	69쪽
소탐대실	작은 것을 욕심내다가 큰 손실을 봄.	145쪽
신토불이	몸과 땅은 하나라는 뜻으로, 자신이 태어난 곳에서 나온 먹거리가 자기 몸에 더 잘 맞음.	163쪽
아전인수	자기 논에 물 대기라는 뜻으로, 자기의 이익만 생각하고 행동한다는 말.	157쪽
안하무인	눈 아래에 사람이 없다는 뜻으로, 무례하고 건방져서 다른 사람을 몹시 무시하는 것을 이르는 말.	21쪽
얼굴에 씌어 있다	감정, 기분 따위가 얼굴에 나타나다.	62쪽
얼굴을 보다	누군가의 체면을 생각해 주다. 예 내 얼굴을 봐서라도 좀 참아라.	62쪽
유비무환	미리 준비되어 있으면 걱정할 것이 없음.	145쪽
유언비어	근거 없이 떠도는 소문이나 이야기.	139쪽
유일무이	둘도 없는 하나. 특별함. 예 그 문화재는 유일무이하여 특히 더 귀하다.	99쪽
인면수심	사람의 얼굴을 하고 있으나 마음은 짐승처럼 흉악하다는 뜻.	63쪽
자수성가	혼자만의 힘으로 큰일을 해내거나 집을 일으켜 세움.	105쪽
전광석화	매우 짧은 시간이나 매우 재빠른 움직임을 뜻하는 말.	151쪽
주경야독	낮에는 농사짓고 밤에는 글을 읽는다는 뜻으로, 어려운 상황에서도 꿋꿋하게 공부함.	163쪽
지지부진	일이 매우 천천히 진행되어서 나아가지 못함.	151쪽
파안대소	얼굴에 주름이 크게 생길 만큼 매우 즐거운 표정으로 활짝 웃음.	63쪽
풍전등화	바람이 불면 언제 등잔이나 촛불이 꺼질지 모르는 것처럼, 위태롭고 불안함.	117쪽
필사즉생	죽기를 각오하면 살 것이라는 뜻.	57쪽
화촉을 밝히다	결혼식을 올림. 예 이번 봄에 화촉을 밝히기로 하였다.	123쪽

속담

가재는 게 편이요 초록은 한 빛이라	모양이나 형편이 서로 비슷한 것끼리 감싸 주기 쉽다.	81쪽
갖바치 내일 모레	약속을 자꾸 미루는 것을 비유적으로 이르는 말.	38쪽
거지도 부지런하면 더운밥을 얻어먹는다	누구든지 잘 살려면 부지런해야 한다는 뜻.	56쪽
겉 다르고 속 다르다	행동과 생각이 서로 달라서 됨됨이가 바르지 못함.	74쪽
겨울 화롯불은 어머니보다 낫다	추운 겨울에는 따뜻한 것이 제일 좋음을 이르는 말.	26쪽
굳은 땅에 물이 고인다	마음을 굳게 먹고 해야 좋은 결과를 얻게 된다는 말.	144쪽
귀에 걸면 귀걸이 코에 걸면 코걸이	어떤 원칙이 없어 이렇게도 되고 저렇게도 될 수 있다는 뜻.	20쪽
글 속에도 글 있고 말 속에도 말 있다	글이나 말 속에는 다양하고 깊은 뜻이 담겨 있다는 말.	98쪽
기기도 전에 날기부터 하려 한다	쉬운 일도 하지 못하면서 어려운 일을 하려고 나서는 경우.	150쪽
기와 한 장 아끼다가 대들보 썩힌다	아주 사소한 것을 아끼면 결국 큰 손해를 볼 수 있다는 말.	104쪽
길고 짧은 것은 대어 보아야 안다	잘하고 못하는 것은 실제로 겪어 보기 전까지는 알 수 없다.	98쪽
나도 사또 너도 사또, 아전 노릇은 누가 하느냐	좋은 자리에만 있겠다고 하면 궂은일을 할 사람이 없다는 뜻.	39쪽

낙숫물이 댓돌 뚫는다	작은 힘도 모이면 큰 결과를 낼 수 있다는 말.	104쪽
남의 잔치에 감 놓아라 배 놓아라 한다	자기와 상관없는 일에 간섭한다는 뜻.	122쪽
누더기 속에서 영웅 난다	가난한 집에서 인물이 나왔을 때 이르는 말.	56쪽
도랑 치고 가재 잡는다	일의 순서가 바뀌어 애쓴 보람이 없다. / 한 가지 일로 두 가지 이익을 본다.	81쪽
돌다리도 두들겨 보고 건너라	아무리 잘 아는 일이라도 꼼꼼하게 확인해야 한다.	150쪽
되로 주고 말로 받는다	조금 주고 그 대가로 몇 곱절이나 많이 받는 경우.	33쪽
등잔 밑이 어둡다	가까이에 있는 것을 멀리 있는 것보다 오히려 더 잘 모른다.	116쪽
떡 본 김에 제사 지낸다	필요했던 기회가 생기면 바로 일을 해치운다는 뜻.	122쪽
떡 줄 사람은 꿈도 안 꾸는데 김칫국부터 마신다	해 줄 사람은 생각지도 않는데 미리부터 다 된 일로 알고 행동한다는 말.	32쪽
미련한 송아지 백정을 모른다	겪어 보지 않았거나 어리석어서 세상 이치에 어둡다는 뜻.	38쪽
미운 놈 떡 하나 더 준다	미운 사람일수록 잘해 주고 감정을 쌓지 않아야 한다.	32쪽
밑져야 본전	어떤 일이 잘못되더라도 손해를 보지는 않을 테니 한번 해 보아야 함을 비유적으로 이르는 말.	156쪽
바늘로 찔러도 피 한 방울 안 난다	사람이 단단하고 야무지게 생겼음을 비유적으로 이르는 말.	68쪽
벼는 익을수록 고개를 숙인다	지식의 정도가 높고 훌륭한 사람일수록 자신을 낮추고 겸손하게 행동함을 비유적으로 이르는 말.	162쪽
벼룩의 간을 내먹는다	하는 짓이 몹시 치사하거나 돈을 지나치게 아끼려고만 하는 것을 비유적으로 이르는 말.	15쪽
벼룩의 등에 육간대청을 짓겠다	하는 일이 이치에 맞지 않고 생각의 깊이가 얕다.	15쪽
병 주고 약 준다	남을 해치고 나서 약을 주며 그를 돕는 체한다는 뜻.	33쪽
불난 집에 부채질한다	남에게 일어난 안 좋은 일을 점점 더 커지도록 만들거나 화난 사람을 더욱 화나게 한다는 뜻.	26쪽
빈 달구지가 요란하다	잘 알지 못하는 사람이 겉으로는 더 잘난 척하고 말이 많다.	138쪽
뿌린 대로 거둔다	내가 한 일에 대한 책임은 스스로가 지게 된다.	156쪽
사공이 많으면 배가 산으로 간다	여러 사람이 자기주장만 내세우면 일이 제대로 되기 어렵다.	39쪽
소문 난 잔치에 먹을 것 없다	기대했던 것에 비하여 실속이 없다.	138쪽
여우를 피해서 호랑이를 만났다	갈수록 더욱더 힘든 일을 당함을 비유적으로 이르는 말.	14쪽
열 길 물속은 알아도 한 길 사람의 속은 모른다	사람의 속마음을 알기란 매우 힘들다.	74쪽
윗물이 맑아야 아랫물이 맑다	윗사람이 바르게 행동해야 아랫사람도 따라서 잘 행동한다.	110쪽
좋은 농사꾼에게는 나쁜 땅이 없다	모든 일은 내가 하기 나름임을 비유적으로 이르는 말.	162쪽
티끌 모아 태산	조금씩 꾸준히 노력하면 원하는 것을 이룰 수 있다.	144쪽
피는 물보다 진하다	피를 나눈 가족끼리의 정이 더 깊다는 뜻.	68쪽
한 귀로 듣고 한 귀로 흘린다	남이 한 말을 제대로 귀담아듣지 아니한다는 뜻.	20쪽
호랑이에게 물려 가도 정신만 차리면 산다	아무리 위급한 경우를 당하더라도 정신만 똑똑히 차리면 위기를 벗어날 수 있다는 말.	14쪽
호미로 막을 것을 가래로 막는다	일이 작을 때 처리하지 않고 미루면 나중에 더 힘이 든다.	116쪽
흐르는 물은 썩지 않는다	현재에 만족하지 않고 계속 노력을 해야 발전할 수 있다.	110쪽

기초
학습능력 강화
프로그램

똑 똑 한

하루 어휘

정답과 풀이

천재교육

정답과 해설
포인트 3가지

- 혼자서도 이해할 수 있는 친절한 어휘 풀이
- 배운 어휘는 물론 참고 어휘, 보충 어휘까지 자세한 해설
- 비슷한말, 반대말, 포함 어휘까지 관계 어휘를 풍부하게 제시

1주 정답과 풀이

1주에는 무엇을 공부할까?

10~11쪽

1 재희
2 (1) 성냥, 가스레인지 (2) 형광등, 손전등
3 ②
4 ③

1일 교과 어휘 > 국어

16~17쪽

1 (1) 명랑 (2) 냉정 (3) 냉철 (4) 맹랑
2 (1) 단언 (2) 치사
3 ②
4 (1) 단호한 (2) 명랑한 (3) 냉정한 (4) 비겁하게
5 (3) ○
6 ①
7 (1) ③ (2) ②

1 '명랑하고 밝은 아이', '냉정하게 거절', '냉철한 판단으로', '맹랑한 아이'와 같이 쓸 수 있습니다.

2 딱 잘라 말하는 경우에 '단언하다'를 사용할 수 있고, 돈을 쓰는 태도에 쩨쩨한 구석이 있을 때에는 '치사하다'를 사용할 수 있습니다.

3 속이 좁고 겁이 많은 사람에게 '비겁하다'를 사용할 수 있습니다.

4 '단호한 태도', '밝고 명랑한 내용의 그림책', '냉정한 태도', '비겁하게 도망가지 말고'와 같이 써야 알맞은 표현이 됩니다.

5 태도가 정답지 않고 차가운 것을 '냉정하다'라고 하므로, 추운 날씨가 나타난 그림을 찾습니다.

6 형은 배가 부르다고 라면을 먹지 않겠다고 했으면서 빼앗아 먹었습니다. 동생 입장에서는 몹시 치사하게 느껴졌을 것입니다.

2일 생활 어휘

22~23쪽

1 ②
2 (1) 관자놀이 (2) 눈꼬리 (3) 인중 (4) 콧방울
3 (1) ㉡ (2) ㉣
4 (1) ㉠ (2) ㉡ (3) ㉣ (4) ㉤ (5) ㉢
5 ③
6 (1) ① (2) ③
7 ⑤

1 눈썹과 눈썹 사이를 '미간'이라고 합니다. 볼에 움푹 파인 모양으로 생긴 것은 보조개, 눈과 귀 사이에 있는 옆머리는 관자놀이입니다.

2 관자놀이는 머리 부분에 있고, '눈꼬리가 아래로 쳐져'와 같이 써야 알맞습니다. 인중은 코 아래에 있어 냄새에 영향을 줍니다.

3 코와 윗입술 사이에 오목하게 골이 진 부분을 인중이라고 하고, 코끝 양쪽으로 둥글게 방울처럼 나온 부분을 콧방울이라고 합니다.

4 ㉠은 관자놀이, ㉡은 눈꼬리, ㉢은 미간, ㉣ 은 눈시울, ㉤은 인중 부분입니다.

5 못 보던 사이에 '나'의 장기 실력이 늘어서 재연이가 당황하였습니다. 이와 같은 경우에 눈을 비비고 상대를 다시 본다는 뜻의 '괄목상대'를 사용할 수 있습니다.

6 '한 귀로 듣고 한 귀로 흘린다'는 남의 말을 귀담아 듣지 않는다는 뜻, '귀에 걸면 귀걸이 코에 걸면 코걸이'는 원칙이 정해져 있지 않아 경우에 따라 다르다는 뜻의 속담입니다. ②는 '낮말은 새가 듣고 밤말은 쥐가 듣는다'의 뜻입니다.

7 몹시 무례하고 건방져서 다른 사람을 무시하는 경우에 눈 아래 사람이 없다는 뜻의 '안하무인'을 사용할 수 있습니다.

3일 교과 어휘 > 과학

28~29쪽

1 (1) 점화 (2) 점등 (3) 가연성 (4) 발화점
2 (1) 점등 (2) 점화 3 ②
4 (1) 연소 (2) 점등 (3) 불연성
5 ① 6 (1) ③ (2) ① 7 (4) ○

1 '도시까지 봉송할 성화를 점화', '크리스마스 트리를 점등하는 행사', '가연성이 높은 물건들', '발화점이 더 높은 물질은 발화점이 더 낮은 물질보다'와 같이 써야 알맞습니다.

2 형광등 같은 전등이나 등불을 켤 때에는 '점등'을 사용하고, 가스레인지의 불 등을 켤 때에는 '점화'를 사용합니다.

3 기름 등의 물질이 작은 불꽃에 의하여 불이 붙는 가장 낮은 온도를 '인화점'이라고 합니다. '발화점'은 열을 가하여 저절로 불이 붙기 시작하는 온도를 말합니다.

4 (1) 어떤 물질이 연소되기 위해서는 꼭 산소가 필요합니다. (2) 화장실의 전등을 켜는 스위치를 말하므로, '점등'을 써야 합니다. (3) 불에 잘 타지 않는 재질에는 '불연성'을 써야 합니다.

5 우주는 연지가 빌려준 책을 늦게 돌려주면서 책을 훼손하기까지 했습니다. 게다가 사과는커녕 연지의 화를 더 키우고만 있다는 내용으로 보아 '불난 집에 부채질한다'를 떠올릴 수 있습니다.

6 등화가친은 등불과 가까이 할 만하다는 뜻으로, 등불을 켜고 책을 읽기에 좋음을 나타냅니다. 명약관화는 불을 보듯 뻔하다는 뜻으로 쓸 수 있는 사자성어입니다.

7 등화가친에는 글을 읽기에 좋다는 뜻이 있으므로, 독서와 관련된 물건을 떠올릴 수 있습니다. 신발이나 휴대 전화, 냄비는 떠올리기 어렵습니다.

4일 생활 어휘

34~35쪽

1 (1) 보답 (2) 기부 (3) 증정
2 수여 3 ⑤
4 (1) 기부 (2) 부여 (3) 제공 (4) 보답
5 ⑤ 6 (1) ② (2) ④

1 '숙제를 도와준 보답으로', '우승 상금 전액을 복지 단체에 기부', '사은품으로 증정한다던 물건'과 같이 써야 알맞은 표현이 됩니다.

2 표창장을 주는 것이므로 증서나 상장, 훈장을 준다는 뜻의 '수여'를 사용해야 합니다.

3 '기증'은 어떤 물건을 선물이나 기념으로 남에게 거저 주는 것을 말합니다. 자선을 위해 돈을 내놓을 때에는 '기부'를 사용하여, '기부금'이라고 써야 알맞습니다.

4 '적은 돈이라도 꾸준히 기부', '의욕을 잃은 사람들에게 새로운 동기를 부여', '점심 식사는 견학하는 시설에서 모두 제공', '어려울 때 도와준 친구에게 보답'과 같이 써야 알맞은 표현이 됩니다.

5 예나는 고양이를 키우기로 정해진 것도 아닌데 이미 키우기로 정해진 것처럼 이름은 뭘로 할지, 고양이 간식은 뭐가 좋을지 떠올리고 있습니다. 이와 같은 경우에 '떡 줄 사람은 꿈도 안 꾸는데 김칫국부터 마신다'라는 속담을 떠올릴 수 있습니다.

6 '병 주고 약 준다'는 남을 해치고 나서 약을 주며 그를 돕는 체한다는 뜻의 속담입니다. '되로 주고 말로 받는다'는 조금 주고 그 대가로 몇 곱절이나 많이 받는 경우를 뜻하는 속담입니다.

5일 교과 어휘 > 사회 40~41쪽

1 (1) 갖바치 (2) 아전 (3) 거간꾼 (4) 마름
2 객주 3 ③
4 (1) 보부상 (2) 뱃사공 (3) 마름
5 ⑤ 6 (2) ○ 7 ㉡

1 옛날에 가죽신을 만들던 사람은 '갖바치', 관아에서 사또를 도와 일을 하던 사람은 '아전'입니다. 사고파는 사람 사이에 흥정을 붙이던 사람은 '거간꾼', 소작농들을 관리하던 사람은 '마름'입니다.

2 김만덕은 조선 시대의 여성 객주로 유명한 사람입니다.

3 과거에 소나 개, 돼지 따위를 잡는 일을 직업으로 하는 사람을 '백정'이라고 부릅니다.

4 (1) 보부상들은 전국을 돌아다니며 물건을 팔았습니다. (2) 사공은 '뱃사공'이라고도 부릅니다. (3) 소작료를 거두어들이는 사람은 '마름'입니다.

5 아이들 중 네 명이나 쉬운 역할을 맡겠다고 하는 모습을 보면 '나도 사포 너도 사포, 아전 노릇은 누가 하느냐'라는 속담을 떠올릴 수 있습니다.

6 '갖바치'는 가죽신을 만들던 사람이므로, 오늘날의 구두 장인과 비슷합니다. 구두 장인과 관련된 물건을 찾아야 합니다.

7 '미련한 송아지 백정을 모른다'는 겪어 보지 않았거나 어리석어서 세상 이치에 어두움을 비유적으로 이르는 말입니다.

1주 누구나 100점 TEST 42~43쪽

1 ③ 2 ㉠ 3 ③
4 ㉡ 5 ② 6 ②
7 봉식 8 ③ 9 ④
10 ㉢

1 '냉철하다'와 '냉정하다'에 들어간 냉은 차갑다는 뜻을 가지고 있습니다.

2 '치사하다'와 관련이 있는 속담은 하는 짓이 몹시 치사거하나 돈을 지나치게 아끼려고 하는 경우에 사용하는 '벼룩의 간을 내먹는다'입니다.

3 코와 윗입술 사이에 오목하게 골이 진 부분을 인중이라고 합니다. 미간은 눈썹과 눈썹 사이, 콧대는 콧등의 우뚝한 줄기, 눈시울은 눈언저리의 속눈썹이 난 곳, 관자놀이는 귀와 눈 사이의 맥박이 뛰는 곳입니다.

4 눈을 비비고 상대를 본다는 뜻의 '괄목상대'를 언제 사용하는지 나타나 있습니다.

5 불에 타지 않는 성질이 있으면 '불연성'이라고 해야 하고, 형광등을 켤 때에는 '점등'을 사용합니다. 휘발유는 '인화성' 물질에 해당하고, 가스레인지의 불을 켤 때에는 '점화'를 사용합니다.

6 등화가친은 등불과 가까이 할 만하다는 뜻으로, 등불을 켜고 책을 읽기에 좋음을 나타냅니다.

7 증서나 상장을 주는 것을 '수여', 사람에게 임무를 줄 때 '부여'를 사용합니다.

8 미운 사람일수록 잘해 주어야 한다는 뜻을 가진 속담은 '미운 놈 떡 하나 더 준다'입니다.

9 배를 부리는 일을 직업으로 하는 사람을 '사공' 또는 '뱃사공'이라고 합니다.

10 '나도 사포 너도 사포, 아전 노릇은 누가 하느냐'에는 모두 좋은 자리에만 있겠다고 하면 궂은일을 할 사람이 없다는 뜻이 담겨 있습니다.

1주 특강 사고 쑥쑥

46~47쪽

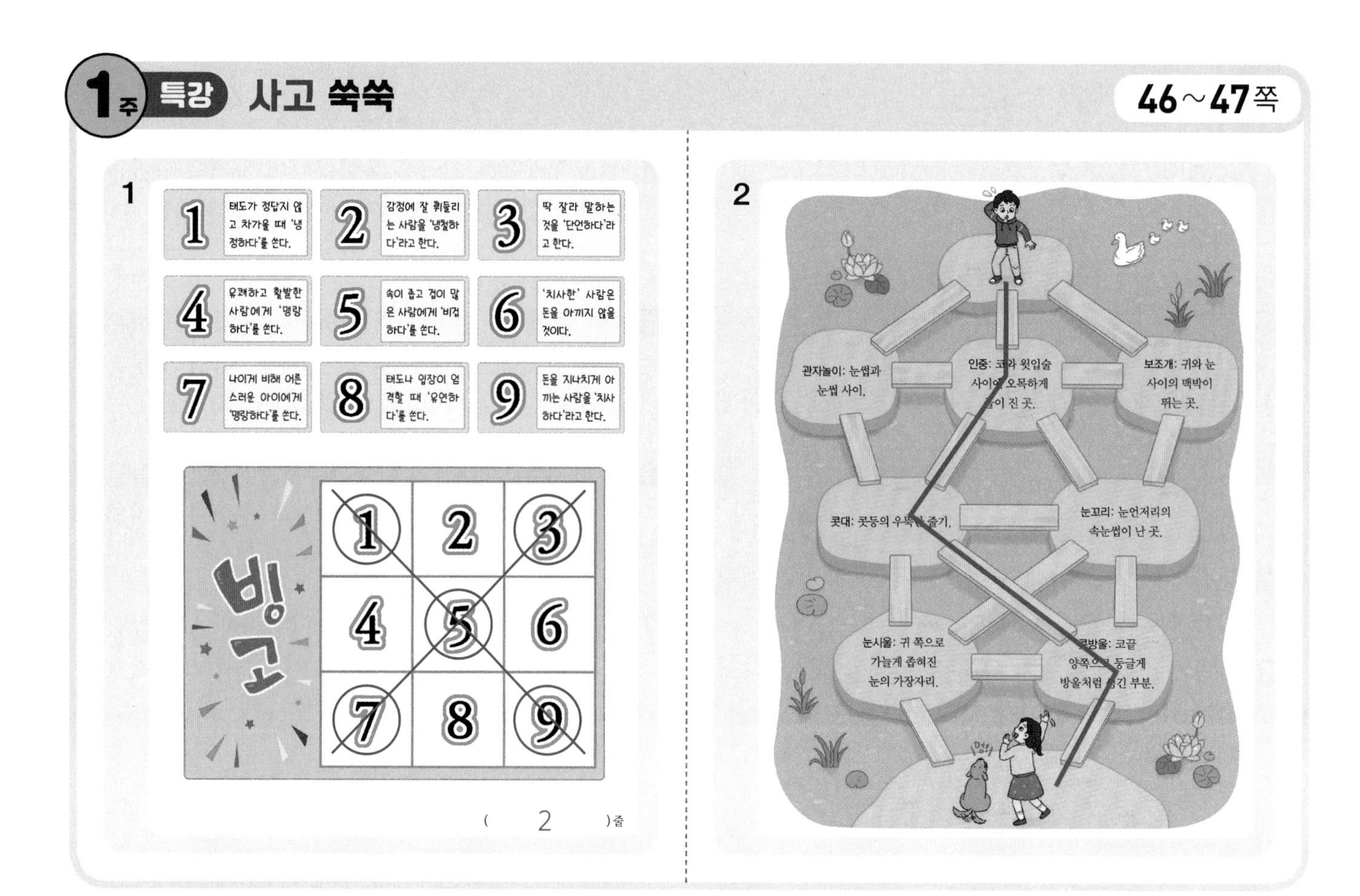

1주 특강 논리 탄탄

48~49쪽

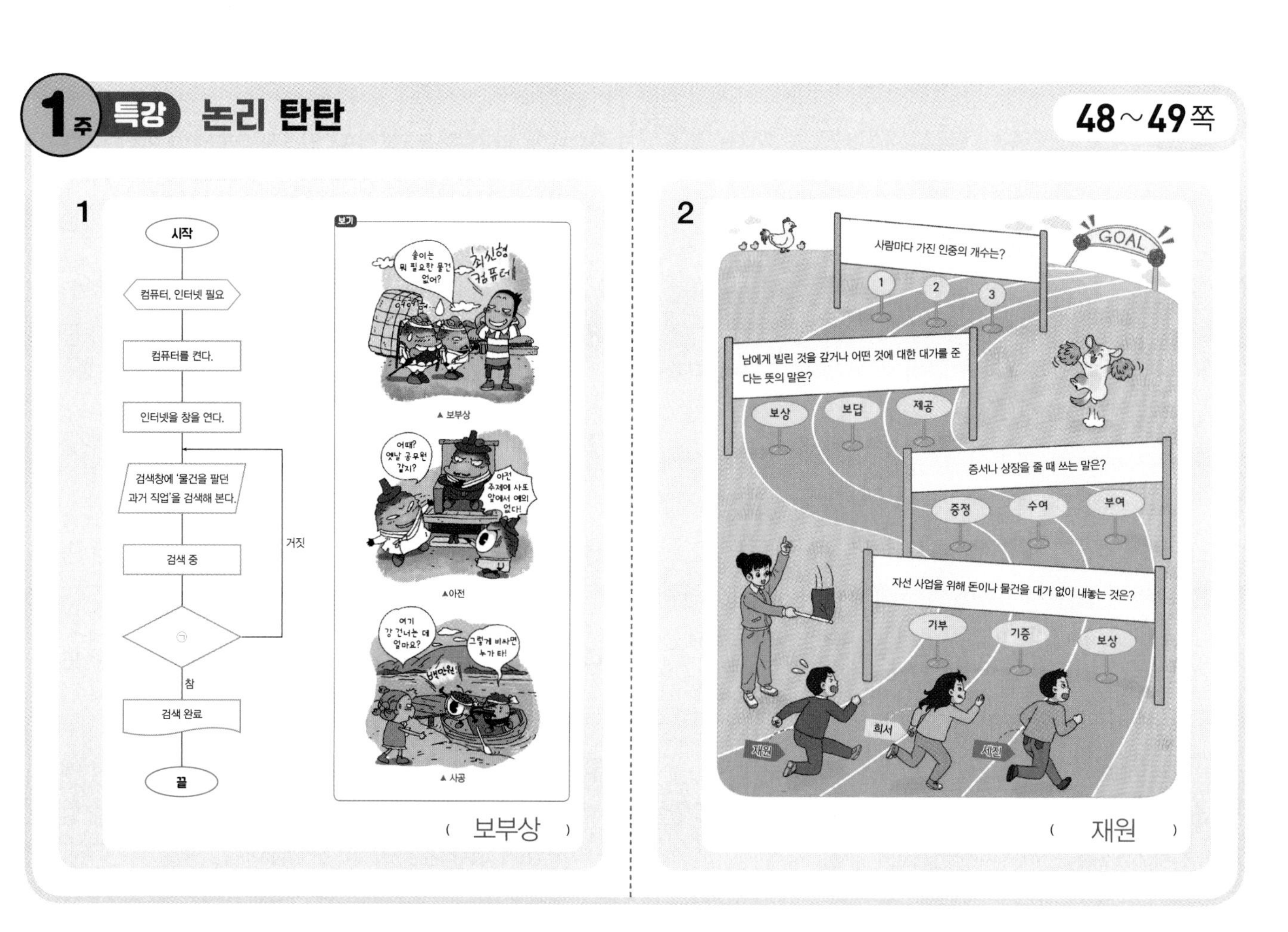

2주 정답과 풀이

2주에는 무엇을 공부할까?

52~53쪽

1 영천
2 ③
3 ①
4 ③

1일 교과 어휘 > 국어

58~59쪽

1 위인 2 ⑤
3 (1) 위인 (2) 가치
4 (1) 실황 (2) 실적 (3) 업적 (4) 상황
5 ② 6 ㉡ 7 ④

2 밑줄 그은 '가치'는 한 사람이 살아가며 중요하게 여기거나 옳다고 믿는 것을 말합니다. '가치를 바라보는 관점'을 '가치관'이라고 합니다.

3 역사적으로 훌륭한 인물은 위인, 그 인물이 삶에서 가장 중요하게 여기는 것을 가치라고 합니다.

4 '공연 실황을 담은', '올해 가장 높은 실적을 기록', '시대적 상황', '세종 대왕의 업적'과 같이 써야 알맞은 표현이 됩니다.

5 몹시 가난한 아이가 열심히 노력하여 훌륭한 장군이 된 이야기이므로, '누더기 속에서 영웅 난다'를 떠올릴 수 있습니다.

6 '필사즉생'은 죽을 각오로 싸우면 살 수 있다는 뜻으로 이순신 장군이 남긴 말입니다.

7 죽을 고비를 여러 차례 넘기고 겨우 살아남을 뜻하는 '구사일생'은 九死一生과 같이 씁니다.

2일 생활 어휘

64~65쪽

1 ③
2 (1) 핼쑥한데 (2) 말쑥해 (3) 기색 (4) 기척
3 (1) 인상 (2) 안면 (3) 인성
4 ③ 5 ②
6 (1) ② (2) ③ 7 ④

1 사람 얼굴의 생김새를 '인상'이라고 합니다. 사람의 성품은 인성, 사람 얼굴에 나타나는 표정은 안색이라고 합니다.

2 '얼굴이 핼쑥한데', '참 말쑥해', '얼굴에는 기쁜 기색', '기척을 내지 않고'와 같이 써야 합니다.

3 인상이 험하지만 마음이 여리다는 내용, 안면에 상처가 났다는 내용, 훌륭한 인성을 길러야 한다는 내용이 자연스럽습니다.

4 '안색이 너무 창백한데', '안색이 점점 어두워지는'과 같이 표현할 수 있습니다.

5 글 속의 주인공은 장염 때문에 죽만 먹어야 하는 상황에 가족들이 외식을 하러 나가자 실망스러운 마음을 재미있게 표현하였습니다. 가족들이 못됐다는 뜻으로 한 ㉠, ㉡을 통해 '인면수심'을 떠올릴 수 있습니다.

6 '얼굴을 보다'는 흔히 '내 얼굴을 봐서라도'와 같이 사용하는 말로, 체면을 생각해 준다는 뜻이 있습니다. '얼굴에 씌어 있다'는 감정이 그대로 나타난다는 뜻으로 쓰는 말입니다.

7 얼굴이 망가질 정도로 크게 웃는 모습을 '파안대소'라고 합니다.

3일 교과 어휘 > 과학

70~71쪽

1 (1) 동맥 (2) 정맥 (3) 호흡
2 (1) 소화 (2) 흡수 3 ②
4 (1) 호흡 (2) 근육 (3) ① 동맥 ② 정맥
5 ③ 6 (1) ② (2) ③ 7 ①

1 우리 몸의 각 부분에서 심장 쪽으로 피를 보내는 푸른 혈관을 정맥, 심장에서 피를 몸의 각 부분에 보내는 혈관을 동맥이라고 합니다.

2 영양분을 몸에 흡수하기 쉬운 형태로 변화시키는 것을 '소화', 소화 기관에서 영양소를 몸으로 거두어들이는 것을 '흡수'라고 합니다.

3 동물의 체형을 이루며 몸을 지탱하는 뼈를 '골격'이라고 합니다.

> ① 혈관: 피가 돌아다니는 관. 동맥과 정맥이 혈관에 해당함.
> ③ 근육: 뼈를 감싸는 힘줄과 살.
> 예 운동을 심하게 해서 근육통이 생겼다.

4 허파는 호흡을 하기 위한 기관이고, 운동을 통해 근육을 발달시킬 수 있습니다. 동맥은 정맥보다 혈관의 벽이 두껍습니다.

5 나무꾼이 호랑이를 만나서 형님이라고 하면서 잡아먹힐 위기를 넘기려고 하였습니다. 그러므로 빈칸에는 가족의 정이 깊다는 것을 뜻하는 '피는 물보다 진하다'가 들어갈 수 있습니다.

6 '뼈를 묻다'는 어떤 단체나 조직에서 평생 일한다는 뜻, '살을 붙이다'는 바탕에 여러 가지를 덧붙여 보탠다는 뜻으로 쓰는 표현입니다.

7 매우 단단하고 야무지게 생긴 사람에게 '찔러도 피 한 방울 안 난다'를 사용할 수 있습니다.

> ④ 어떤 것과 가까이 있는 사람이 도리어 그것에 대하여 잘 알기 어렵다. → 등잔 밑이 어둡다.
> 예 등잔 밑이 어둡다더니 안경을 손에 든 채 한참을 찾았다.

4일 생활 어휘

76~77쪽

1 (1) 동정심 (2) 자존심 (3) 경각심 (4) 호기심
2 ② 3 ④
4 (1) 경각심 (2) 자긍심 (3) 노파심
5 ④ 6 ⑤ 7 민영

1 불쌍하게 여기는 마음은 동정심, 자신의 품위를 스스로 지키는 마음은 자존심이라고 합니다. 조심해야 한다는 마음은 경각심, 궁금한 것이 많은 것을 호기심이라고 합니다.

2 어떤 것에 놀라면서 두려운 마음이 들었을 때 '경외심'을 느낀다고 표현할 수 있습니다.

3 주의 깊게 살피어 경계하는 마음을 '경각심'이라고 합니다. 남의 어려운 처지를 안타깝게 여기는 마음은 '동정심', 어떤 것을 그리워하는 마음은 '동경심'이라고 합니다.

4 '개인 정보 보호에 좀 더 경각심을 갖고', '스스로의 능력을 믿으며 자긍심을 가져 보세요', '노파심에 자꾸'와 같이 써야 알맞은 표현이 됩니다.

5 게임 속에 들어가 있는 엄마를 보았을 때 '나'는 얼마쯤 믿으면서도 한편으로는 의심하는 마음이 들었을 것입니다. 이와 같은 경우에 '반신반의'를 사용할 수 있습니다.

6 겉 다르고 속 다르다는 뜻을 나타내는 사자성어로는 '표리부동'을 사용할 수 있습니다. ①은 엉뚱한 대답을 할 때, ②는 은혜를 갚는 상황에 사용할 수 있는 사자성어입니다.

7 '열 길 물속은 알아도 한 길 사람의 속은 모른다'는 사람의 속마음을 알기는 매우 어렵다는 뜻을 나타내는 속담입니다.

5일 교과 어휘 > 사회 82~83쪽

1 (1) 여론 (2) 유권자 (3) 후보자 (4) 유세
2 ④ 3 ② 4 (3) ○
5 ⑤ 6 ② 7 ㉡, ㉢

1 여러 사람들의 공통된 의견은 여론, 선거에서 투표할 권리를 가진 사람은 유권자입니다. 선거에서 뽑히기 위해 나선 사람은 후보자, 후보자가 자신을 뽑아 달라고 돌아다니는 일은 유세입니다.
2 유권자들은 후보자의 선거공약이 어떠한지 판단한 뒤에 투표를 합니다.
3 국민이 권력을 가지고 그 권력을 스스로 행사하는 것을 '민주주의'라고 합니다.
4 '가재는 게 편이요 초록은 한 빛이라'는 모양이나 형편이 서로 비슷한 것끼리 잘 어울린다는 뜻을 가진 속담입니다.
5 자신이 반장이 되면 어떻게 하겠다고 약속한 내용이므로, '선거공약'으로 볼 수 있습니다.
6 '반장 선거'와 같이 표현할 수 있으므로, 빈칸에 들어갈 알맞은 말은 '선거'입니다.
7 '도랑 치고 가재 잡는다'는 한 가지 일로 두 가지 이익을 보는 것을 비유적으로 이르는 속담입니다. 또, 일의 순서가 바뀌었기 때문에 애쓴 보람이 없다고 말할 때에도 사용할 수 있습니다.

2주 누구나 100점 TEST 84~85쪽

1 ② 2 가치 3 ②
4 ㉡ 5 ① 6 ②
7 소담 8 ② 9 (2) ○
10 ㉢

1 전기문에 나오는 인물이 한 훌륭한 일을 '업적'이라고 합니다.
2 전기문을 읽으면서 인물의 추구하는 '가치'는 무엇인지 떠올려 볼 수 있습니다.
3 얼굴에 핏기가 없고 살이 빠진 듯한 느낌이 든다는 뜻의 '핼쑥하다'를 떠올릴 수 있습니다.
4 매우 즐거운 표정으로 활짝 웃고 있는 그림이므로 '파안대소'가 어울립니다. 와신상담은 마음먹은 일을 이루기 위하여 온갖 어려움과 괴로움을 참고 견디는 상황에 쓸 수 있는 말입니다.

> ㉢ 염화미소: 말로 통하지 아니하고 마음에서 마음으로 전하는 일.
> ㉣ 절차탁마: 돌을 갈고 닦아서 빛을 낸다는 뜻으로, 부지런히 학문과 덕행을 닦음을 이르는 말.

5 피부에서 푸른색으로 보이는 혈관은 동맥이 아니라 '정맥'입니다.
6 '피는 물보다 진하다', '바늘로 찔러도 피 한 방울 안 난다'에 공통으로 '피'가 들어갑니다.
7 주의 깊게 살피며 경계하는 마음은 경각심, 새롭고 신기한 것을 좋아하는 마음은 호기심, 어떤 것을 간절히 그리워하여 그것만을 생각하는 마음은 '동경심'이라고 합니다.
8 몹시 마음을 쓰며, 애를 태운다는 뜻으로 '노심초사'를 쓸 수 있습니다.

> ③ 새옹지마: 인생의 좋은 일과 나쁜 일은 변화가 많아서 예측하기가 어렵다.
> ④ 과유불급: 지나친 것은 좋지 않다.
> ⑤ 맥수지탄: 나라가 멸망한 것을 한탄함.

9 후보자가 유세를 하는 모습, 투표를 하는 모습을 통해 '민주주의'를 떠올릴 수 있습니다.
10 주어진 속담은 모양이나 형편이 서로 비슷한 것끼리 어울리고, 감싸 주기 쉽다는 뜻을 나타냅니다.

2주 특강 사고 쑥쑥 88~89쪽

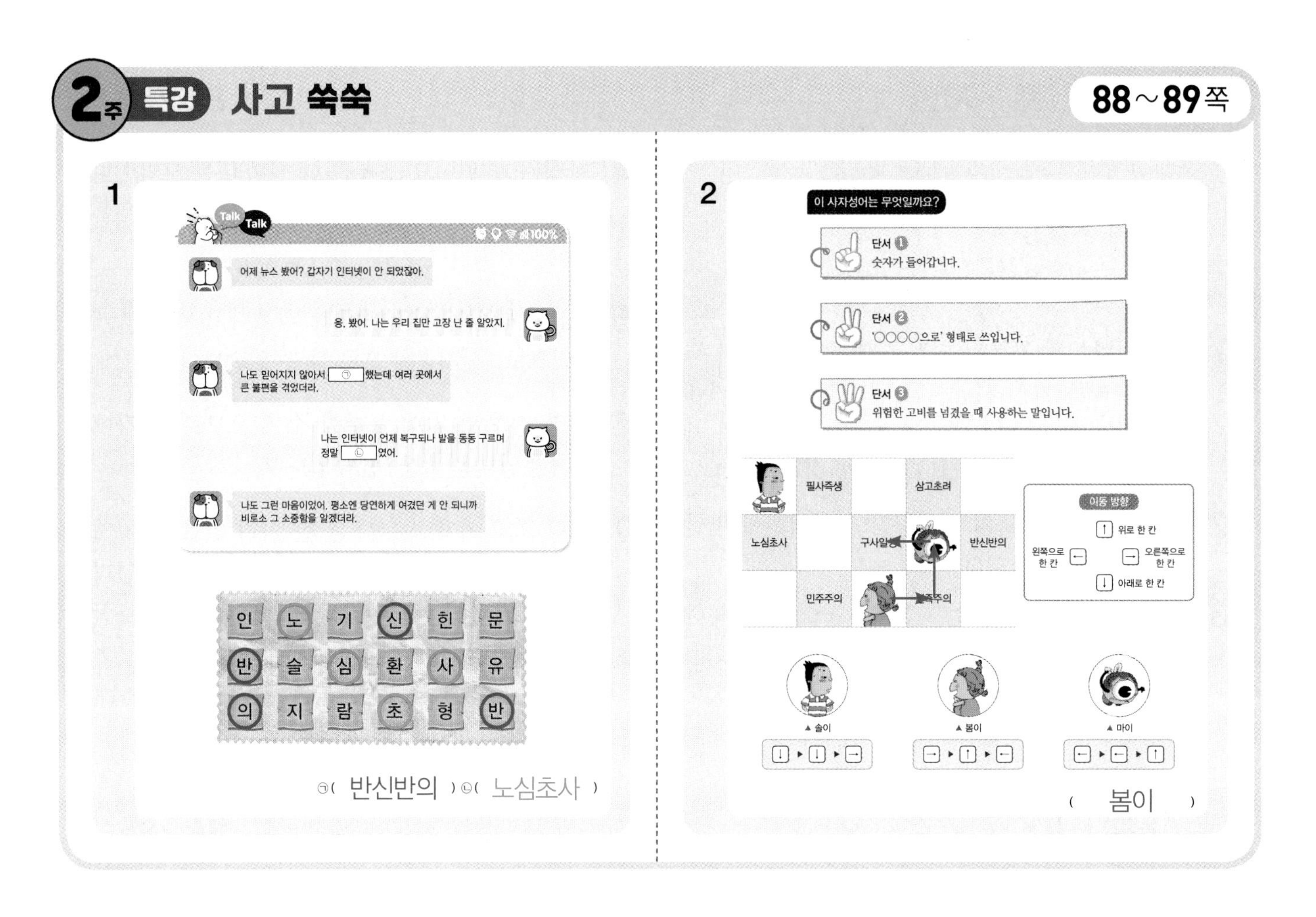

2주 특강 논리 탄탄 90~91쪽

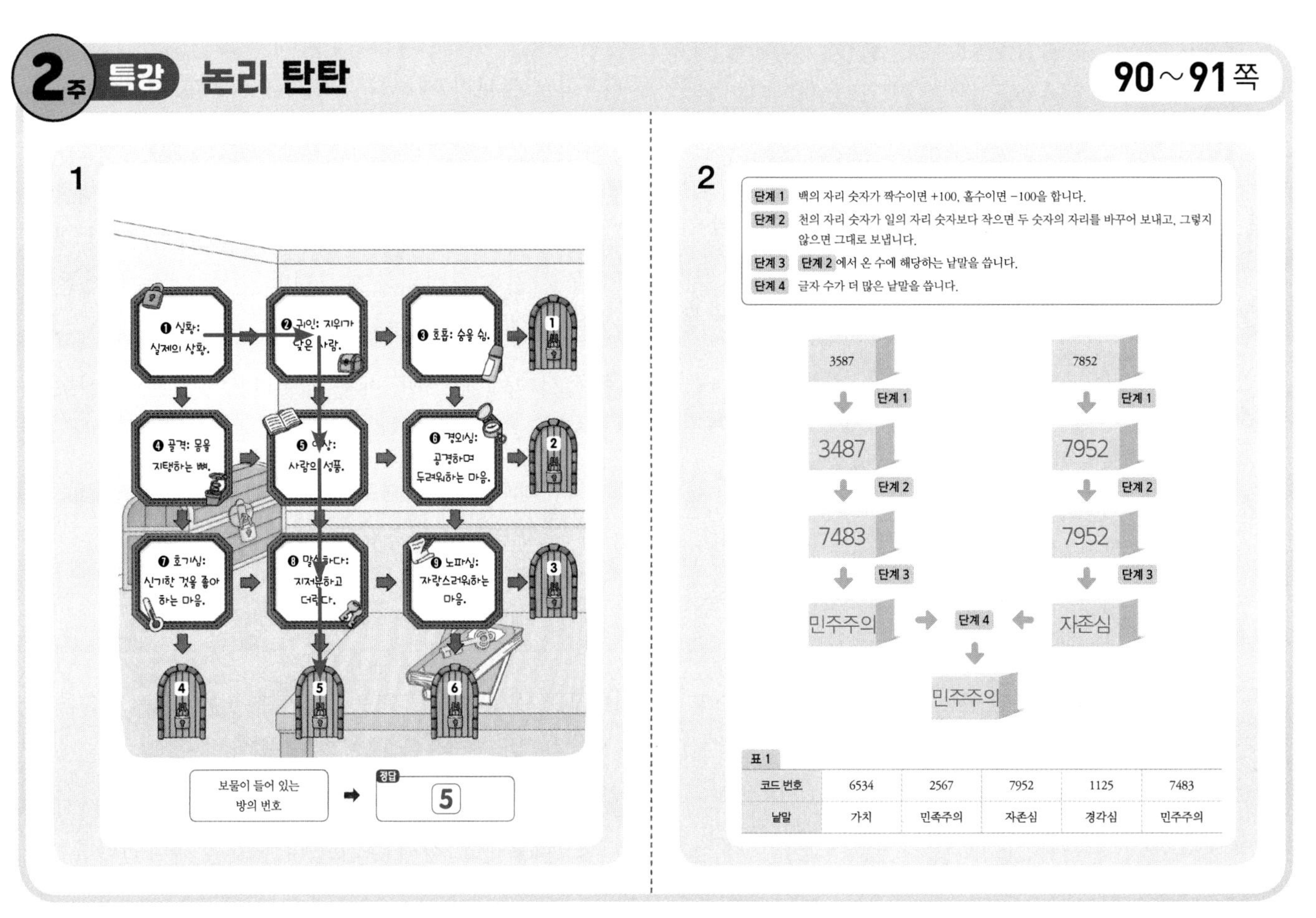

표 1

코드 번호	6534	2567	7952	1125	7483
낱말	가치	민족주의	자존심	경각심	민주주의

3주 정답과 풀이

3주에는 무엇을 공부할까?

94~95쪽

1 솔이
2 ③
3 해수어
4 ①

1일 교과 어휘 > 국어

100~101쪽

1 (1) 견해 (2) 문득 (3) 표현 (4) 반박
2 ③
3 ❶ 견해 ❷ 반박
4 ③
5 (1) ① (2) ②
6 ③

1 (1) 견해: 물건이나 상황에 대한 자기의 의견이나 생각.
(2) 문득: 생각이나 느낌이 갑자기 떠오르는 모양.
(3) 표현: 생각이나 느낌을 말이나 글, 행동을 통해 나타냄.
(4) 반박: 어떤 의견이나 주장에 반대함.

2 '편견'은 한쪽으로 치우친 생각을 말합니다.

3 의견이나 생각을 뜻하는 낱말은 '견해'입니다. 어떤 의견이나 주장에 반대하는 것은 '반박'입니다.

4 한석봉의 자신만만한 대사에서 떠올릴 수 있는 사자성어는 '기고만장'입니다. '기고만장'은 기운이 아주 높게 뻗었다는 뜻입니다.

5 (1) 길고 짧은 것은 대어 보아야 안다: 능력의 차이는 직접 겨어보아야 제대로 알 수 있다.
(2) 글 속에도 글 있고, 말 속에도 말 있다: 겉만 보고 판단하지 않고 숨겨진 속뜻을 잘 파악해야 한다.

6 '기고만장'은 기운이 아주 높게 뻗어 있는, 자랑스럽게 여기는 모습을 뜻하므로, '기고만장한 기회'는 알맞지 않습니다.

2일 생활 어휘

106~107쪽

1 (1) ③ (2) ① (3) ②
2 온돌
3 (2) ○
4 ⑤
5 ①
6 정민
7 ②

1 (1) 한옥의 기둥과 기둥 사이에 놓인 큰 나무는 '대들보'입니다.
(2) 한옥의 기둥 밑에 놓인 집의 기초가 되는 돌은 '주춧돌'입니다.
(3) 한옥 부엌에 있는 솥과 방에 불을 지피기 위하여 만든 구멍은 '아궁이'입니다.

2 '온돌'은 아궁이의 열기가 방바닥 전체를 지나서 방 온도를 높여주는 난방 장치입니다.

3 한옥에서 지붕을 받쳐주는 갈비뼈 모양의 나무는 '서까래'입니다.

4 '온돌'은 한국의 전통적인 난방법이므로, '온돌' 덕분에 겨울을 따뜻하게 보낼 수 있었다고 하는 것이 맞습니다.

5 ② 백지장도 맞들면 낫다: 아무리 쉬운 일이라도 서로 힘을 합하면 훨씬 쉽다.
③ 소 잃고 외양간 고친다: 일이 이미 잘못된 뒤에는 손을 써도 소용이 없다.
④ 발 없는 말이 천 리 간다: 소문은 금방 퍼진다.
⑤ 기와 한 장 아끼다가 대들보 썩힌다: 작은 것을 아끼다가 오히려 손해를 본다.

6 '동량지재'는 한 집안이나 나라의 중심이 되는 인재를 말합니다. 따라서 '반의 중심이 되는 동량지재'가 맞습니다.

7 '낙숫물이 댓돌 뚫는다'에서 '낙숫물'은 작지만 꾸준히 노력하는 태도를 말합니다.

3일 교과 어휘 > 과학 112~113쪽

1 점도
2 (1) ㉠ (2) ㉢
3 ❶ 산성 ❷ 염기성
4 ②
5 (1) ○
6 (1) ② (2) ①

1 '점도'는 용액의 끈적거리는 정도를 말합니다. 따라서 '점도'로 바꾸어 쓸 수 있습니다.

2 (1) '묽다'는 물기가 많다는 뜻입니다. 따라서 ㉠이 밑줄 친 '묽게'의 뜻으로 알맞습니다.
(2) '해수'는 바다에 있는 짠물입니다. 따라서 ㉢이 밑줄 친 '해수'의 뜻으로 알맞습니다.

3 '산성'은 산의 성질을 말합니다. 산성 물질로는 식초, 레몬, 요구르트 등이 있습니다. '염기성'은 염기의 성질을 말합니다. 부엌이나 화장실에서 흔히 보이는 비누, 샴푸 등이 염기성 물질입니다. 산성은 신맛, 염기성은 쓴맛을 내는 특징이 있습니다.

4 ① 독 안에 든 쥐: 궁지에서 벗어날 수 없는 처지를 비유적으로 나타내는 말.
② 흐르는 물은 썩지 않는다: 부지런히 노력하는 사람은 계속 발전한다.
③ 윗물이 맑아야 아랫물이 맑다: 윗사람이 바르게 행동해야 아랫사람도 본받는다.
④ 말 한마디에 천 냥 빚도 갚는다: 말만 잘하면 어려운 일도 해결할 수 있다.
⑤ 호랑이 없는 골에 토끼가 왕 노릇 한다: 힘 세고 뛰어난 사람이 없는 곳에서 보잘것없은 사람이 권력을 가진다.

5 '윗물이 맑아야 아랫물이 맑다'는 윗사람이 바르게 행동해야 아랫사람도 본받아 잘한다는 뜻입니다.

6 (1) 물 건너가다: 일의 상황이 끝나 어떠한 조치를 할 수 없다.
(2) 물 쓰듯 하다: 돈이나 물건을 흥청망청 쓰다.

4일 생활 어휘 118~119쪽

1 (1) 절구 (2) 지게 (3) 쟁기
2 지게
3 키
4 ③
5 (1) 등잔 (2) 호미
6 (2) ○

1 (1) 절구: 곡식을 빻거나 찧는 도구.
(2) 지게: 짐을 얹어 사람이 등에 지는 우리나라 고유의 운반 기구.
(3) 쟁기: 논밭을 가는 농기구.

2 '지게'는 짐을 얹어 사람이 등에 지는 우리나라 고유의 운반 기구입니다. 따라서 나무꾼이 들고 다니는 '지게'도 준비하자는 표현이 알맞습니다.

3 '키'는 추수가 끝나고 곡식에서 불순물을 골라내는 데 쓰이는 도구입니다. 과거에는 이불에 오줌을 싼 아이들이 키를 머리에 뒤집어쓰고 이웃집에 소금을 얻으러 다니는 풍습이 있었습니다.

4 ① 목불식정(目不識丁): 글을 모르는 무식한 사람을 일컫는 말.
② 마이동풍(馬耳東風): 남의 의견을 귀담아 듣지 않음.
③ 풍전등화(風前燈火): 매우 위태로운 처지.
④ 전화위복(轉禍爲福): 안 좋은 일이 오히려 좋은 일이 된 상황.
⑤ 이구동성(異口同聲): 여러 사람의 말이 한결같음을 이르는 말.

5 (2) 가까이에 있는 것을 오히려 알아보지 못할 때 쓸 수 있는 속담은 '등잔 밑이 어둡다'입니다.
(2) 일이 작을 때 미리 처리하지 않고 미루면 나중에 더 힘이 든다는 뜻의 속담인 '호미로 막을 것을 가래로 막는다'가 알맞습니다.

6 '등잔 밑이 어둡다'는 가까이에 있는 것을 먼 데 있는 일보다 오히려 알아보지 못할 때에 쓸 수 있는 속담입니다.

5일 교과 어휘 > 사회

124~125쪽

1 (1) 성묘 (2) 환갑 (3) 혼례
2 절기
3 ❶ 혼례 ❷ 차례
4 ④
5 (2) ○

1 (1) '성묘'는 조상의 무덤을 찾아가서 손질하고 살피는 일을 말합니다.
(2) '환갑'은 예순한 살을 뜻하는 말입니다.
(3) '혼례'는 남자와 여자가 부부가 되고 평생 함께할 것을 약속하는 의식을 말합니다.

2 동지는 24절기의 하나로, 일 년 중에서 밤이 가장 긴 날입니다. 빈칸에는 '절기'가 들어가야 합니다.

3 남자와 여자가 부부가 되고 평생 함께할 것을 약속하는 의식은 '혼례'입니다. 명절에 조상님께 지내는 제사는 '차례'입니다.

4 ① 낙숫물이 댓돌 뚫는다: 작은 힘이라도 끈기있게 계속하면 큰일을 이룰 수 있다.
② 도랑 치고 가재 잡는다: 일의 순서가 바뀌어서 애쓴 보람이 없다.
③ 떡 본 김에 제사 지낸다: 필요했던 기회나 물건이 나타나면 그것으로 하려던 일을 해치운다.
④ 남의 잔치에 감 놓아라 배 놓아라 한다: 자기와 상관없는 일에 간섭한다.
⑤ 호랑이에게 물려가도 정신만 차리면 산다: 위급한 상황이라도 정신만 차리면 위기를 벗어날 수 있다.

5 (1) 돌잔치의 모습입니다.
(2) 혼례의 모습입니다. '혼례'는 남자와 여자가 부부가 되고 평생 함께할 것을 약속하는 의식을 말합니다. 따라서 결혼식을 올린다는 뜻의 관용어 '화촉을 밝히다'와 가장 어울립니다.
(3) 차례상의 모습입니다. 차례상은 차례를 지내기 위해서 차리는 상을 말합니다.

3주 누구나 100점 TEST

126~127쪽

1 ④
2 아궁이
3 (2) ×
4 (1) 반박 (2) 견해
5 (1) 절구 (2) 맷돌
6 ③
7 (1) 혼례 (2) 차례
8 ②
9 ③
10 (1) ③ (2) ① (3) ②

1 우리나라 고유의 난방 장치는 '온돌'입니다. '서까래'는 한옥에서 지붕을 받쳐주는 갈비뼈 모양의 나무를 말합니다.

2 '아궁이'는 한옥 부엌에 있는 불을 지피기 위하여 만든 구멍을 말합니다. 따라서 '선조들의 부엌에는 아궁이가 중심에 자리 잡고 있었다.'가 알맞습니다.

3 식초와 레몬은 산의 성질을 가진 '산성' 물질입니다. 염기의 성질을 가진 염기성 물질에는 비누, 샴푸 등이 있습니다.

4 (1) 반박: 어떤 의견이나 주장에 반대함.
(2) 견해: 상황에 대한 자기의 의견이나 생각.

5 (1) 절구: 곡식을 빻거나 찧는데 쓰는 도구.
(2) 맷돌: 콩이나 팥 등의 곡식을 가는 도구.

6 목불식정: 아는 것이 없고 무식하다.

7 (1) 남녀가 부부의 인연을 맺는 의식은 '혼례'입니다.
(2) 설이나 추석 등 명절에 조상님께 지내는 제사는 '차례'입니다.

8 '낙숫물이 댓돌 뚫는다'는 작은 힘이 모이면 큰 결과를 낸다는 뜻을 가진 속담입니다.

9 초가집은 짚으로, 기와집은 기와로 지붕을 만들어 지은 옛집을 말합니다.

10 (1) 돈이나 물건을 흥청망청 쓴다는 뜻을 가진 관용어는 '물 쓰듯 하다'입니다.
(2) 일의 상황이 끝나 조치를 할 수 없다는 뜻을 가진 관용어는 '물 건너가다'입니다.
(3) 뜻밖의 이득이 생긴다는 뜻을 가진 관용어는 '떡이 생기다'입니다.

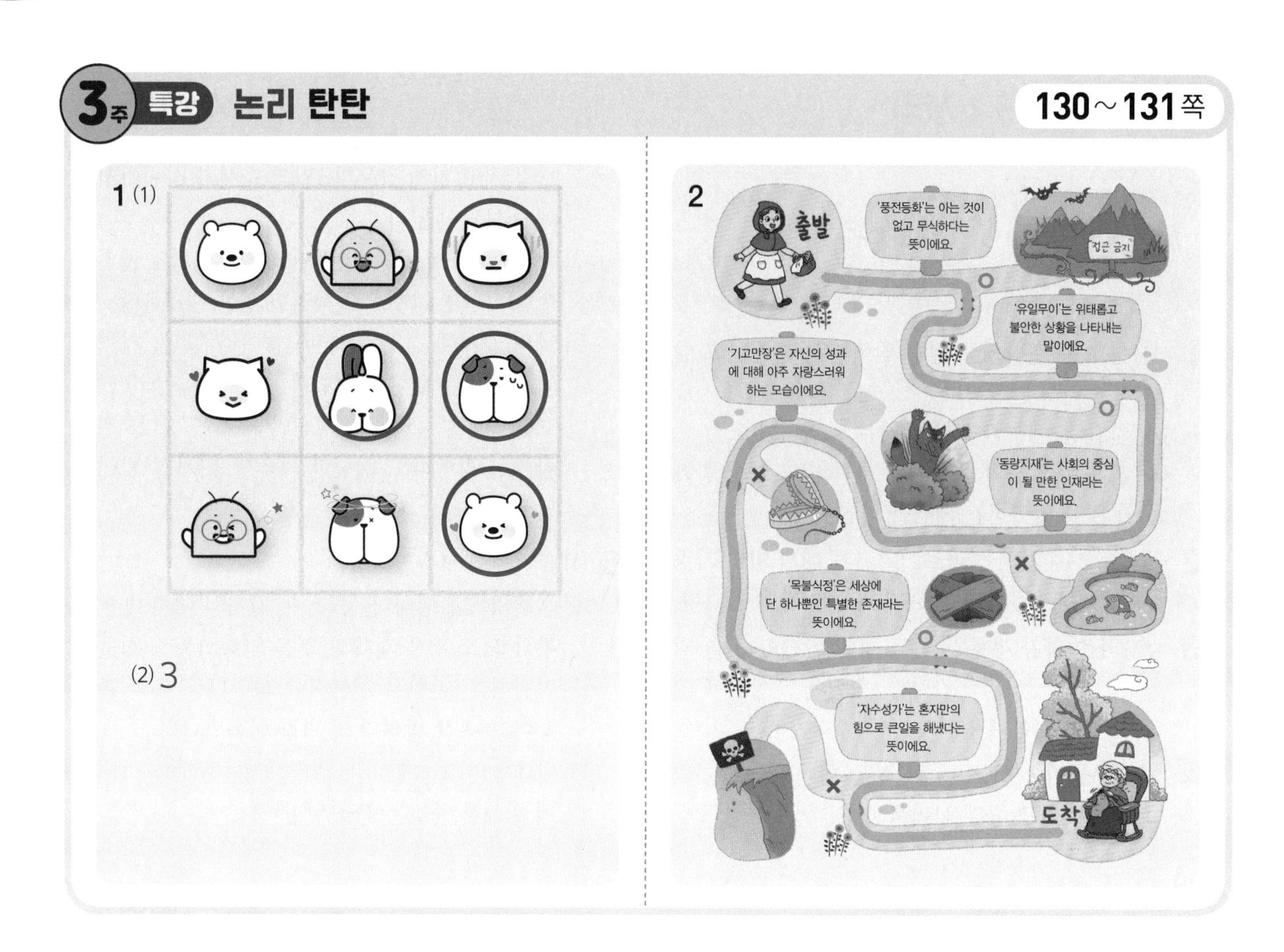
3주 특강 논리 탄탄
130~131쪽
1 (1)
(2) 3
2
출발
'풍전등화'는 아는 것이 없고 무식하다는 뜻이에요.
접근 금지
'유일무이'는 위태롭고 불안한 상황을 나타내는 말이에요.
'기고만장'은 자신의 성과에 대해 아주 자랑스러워하는 모습이에요.
'동량지재'는 사회의 중심이 될 만한 인재라는 뜻이에요.
'목불식정'은 세상에 단 하나뿐인 특별한 존재라는 뜻이에요.
'자수성가'는 혼자만의 힘으로 큰일을 해냈다는 뜻이에요.
도착

4주에는 무엇을 공부할까? 134~135쪽

1 (1) 홍보 (2) 매체
2 ③
3 마야
4 ②

1일 교과 어휘 > 국어 140~141쪽

1 (1) 매진 (2) 허위 (3) 과장 (4) 사익
2 ⑤
3 ❶ 매체 ❷ 과장
4 ④
5 (1) ② (2) ①
6 ④

1 (1) 매진: 하나도 남지 않고 모두 다 팔림.
(2) 허위: 사실이 아닌 것을 사실인 것처럼 꾸민 것.
(3) 과장: 사실보다 지나치게 부풀려서 나타내는 것.
(4) 사익: 개인의 이익.

2 '매체'는 어떤 것을 한쪽에서 다른 쪽으로 전달하는 물건이나 수단을 말합니다.

3 광고는 여러 가지 매체를 통해 소비자에게 아리는 활동을 말합니다.

4 ① 인과응보(因果應報): 좋은 일에는 좋은 결과가, 나쁜 일에는 나쁜 결과가 따름.
② 개과천선(改過遷善): 지난날의 잘못을 고치어 착하게 됨.
③ 아전인수(我田引水): 자기의 이익을 먼저 생각하고 행동함.
⑤ 이심전심(以心傳心): 말을 하지 않아도 마음에서 마음으로 전해짐.

5 (1) 빈 달구지가 요란하다: 실속이 없고 아는 것이 없는 사람이 더 잘난척한다.
(2) 소문난 잔치에 먹을 것 없다: 소문에 비하여 내용이 보잘것없다.

6 '감언이설'은 남의 비위를 맞추어 하는 달콤한 말을 뜻합니다.

2일 생활 어휘 146~147쪽

1 은서
2 화폐
3 ②
4 (1) ② (2) ①
5 ③
6 유비무환
7 ③

1 물물 교환이 불편함으로 인해 돈이 생겨났습니다. 따라서 돈이 발달해서 물물 교환을 하게 되었다는 은서의 말은 알맞지 않습니다.

2 '화폐'는 돈의 다른 이름으로, 가지고 다니기 쉽고 물건의 가치를 매기기도 쉽습니다.

3 '물가'는 특정한 물건의 가격을 가리킬 때와 여러 가지 물건의 가격을 평균적으로 말할 때 모두 쓸 수 있습니다.

4 (1) 생산: 상품을 만들어 내는 것.
(2) 소비: 상품을 사거나 이용하는 것.

5 ① 갑론을박(甲論乙駁): 서로 논란하고 반박함.
② 지지부진(遲遲不進): 일이 진행되어가는 속도가 몹시 느림.
④ 유유자적(悠悠自適): 여유가 있어 한가롭고 걱정이 없는 모양이라는 뜻으로, 자기가 하고 싶은 대로 마음 편히 지낸다는 뜻.
⑤ 외유내강(外柔內剛): 겉으로 보기에는 부드러우나 마음속은 꿋꿋하고 강하다는 뜻.

6 미리 준비가 되어 있으면 걱정할 일이 없다는 뜻의 사자성어는 '유비무환'입니다.

7 '티끌 모아 태산'과 뜻이 비슷한 속담으로는 '낙숫물이 댓돌 뚫는다'가 있습니다.

3일 교과 어휘 > 과학 152~153쪽

1 (1) 급속 (2) 시동 (3) 가속 (4) 감속
2 감속 3 서행
4 ❶ 제동 ❷ 시동
5 ⑤ 6 (2) ○
7 (1) ② (2) ①

1 (1) '급하고 빠른 속도'를 '급속'이라고 합니다.
(2) '시동'은 '기계나 자동차가 움직이게 함'을 뜻합니다.
(3) '가속'은 점점 속도를 더한다는 뜻입니다.
(4) '감속'은 속도를 줄인다는 뜻입니다.

2 빗길 사고를 방지하기 위해서는 평소보다 속도를 줄여서 운전해야 합니다. 따라서 '감속'이 알맞습니다.

3 어린이 보호 구역에서는 30km 미만으로 천천히 주행해야 합니다. 따라서 천천히 간다는 뜻을 가진 '서행'이 알맞습니다.

4 ❶ 제동: 기계나 자동차가 멈추게 함.
❷ 시동: 기계나 자동차가 움직이게 함.

5 ① 타산지석(他山之石): 다른 사람의 사소한 실수라도 나에게는 큰 도움이 될 수 있음.
② 지지부진(遲遲不進): 일이 진행되어가는 속도가 몹시 느림.
③ 결초보은(結草報恩): 죽어서도 은혜를 잊지 않고 갚는다는 뜻.
④ 역지사지(易地思之): 다른 사람의 처지에서 생각하라는 뜻.

6 기기도 전에 날기부터 하려 한다: 쉬운 일도 하지 못하면서 어렵고 큰일을 하려고 나선다.

7 (1) 지지부진: 일이 매우 더디게 진행되는 모습.
(2) 전광석화: 부싯돌이 부딪칠 때의 불빛처럼 몹시 짧거나 아주 재빠른 동작.

4일 생활 어휘 158~159쪽

1 (1) 수요 (2) 관세 (3) 수출 2 ④
3 ❶ 수입 ❷ 수출 4 무역
5 ② 6 (1) ② (2) ①

1 (1) 수요: 상품을 사고자 하는 마음.
(2) 관세: 수입하는 물건에 붙이는 세금.
(3) 수출: 상품을 외국으로 팔아 내보낸다는 뜻.

2 '공급'의 뜻은 '상품을 팔려고 시장에 내놓은 것'입니다.

3 ❶ '수입'은 '다른 나라의 상품을 사들임'을 뜻합니다.
❷ '수출'은 '상품을 외국으로 팔아 내보냄'을 뜻합니다.

4 나라와 나라 사이에 상품을 매매하는 모든 활동을 무역이라고 합니다.

5 ① 우물 안 개구리: 넓은 세상의 형편을 제대로 모르면서 자기가 마치 세상의 모든 것을 알고 있는 듯 행동하는 사람.
② 뿌린대로 거둔다: 자신의 행동에 따른 결과를 고스란히 본인이 감당해야 한다는 뜻.
③ 꿩 먹고 알 먹는다: 한 가지 일을 하여 두 가지 이상의 이익을 본다.
④ 같은 값이면 다홍치마: 이왕이면 더 좋은 쪽을 택한다는 뜻.
⑤ 가랑잎이 솔잎더러 바스락거린다고 한다: 자신의 결점이 큰 건 모르고 남의 작은 허물만 탓한다는 뜻.

6 (1) 견리사의: 이득보다 옳고 그름을 먼저 따진다는 말.
(2) 아전인수: 자기의 이익만 생각하고 행동한다는 말.

5일 교과 어휘 > 사회

164~165쪽

정답과 풀이

1 (1) 모내기 (2) 품앗이 (3) 경운기
2 두레　3 ①
4 두렁　5 ③
6 (1) ① (2) ②

1 (1) 모내기: 모를 논에 옮겨 심는 일.
(2) 품앗이: 농촌에서 힘든 일을 서로 거들어 주면서 협동하는 것.
(3) 경운기: 밭을 갈거나, 씨를 뿌리는 농경 작업을 하는 기계.

2 농번기에 농사일을 공동으로 하기 위하여 마을 단위로 만든 조직을 '두레'라고 합니다.

3 '김매기'는 잡초를 없애고 작물 사이의 흙을 부드럽게 해주는 일을 말합니다.

4 논과 논 사이에 있는 작은 둑은 '두렁'입니다.

5 ① 쇠똥도 약에 쓰려면 없다: 매우 흔하고 많던 것도 쓸데가 있어 찾으면 없다.
② 고래 싸움에 새우 등 터진다: 힘 센 사람들의 싸움에 아무 관계도 없는 힘 없는 사람이 피해를 입는다.
③ 벼는 익을수록 고개를 숙인다: 지식의 정도가 높은 사람일수록 겸손하게 행동한다.
④ 좋은 농사꾼에게는 나쁜 땅이 없다: 모든 일은 자기가 하기 나름이라는 뜻.
⑤ 산에 가야 꿩을 잡고 바다에 가야 고기를 잡는다: 원하는 목표에 따라 방향을 제대로 잡아야 바라는 바를 이룰 수 있다.

6 (1) 주경야독: 바쁘고 어려운 상황에서도 꿋꿋하게 공부한다는 뜻.
(2) 신토불이: 자신이 태어난 곳에서 나온 먹거리가 자기 몸에 더 잘 맞는다는 뜻.

4주 누구나 100점 TEST

166~167쪽

1 서행　2 ②
3 (1) 소비 (2) 이자　4 ②
5 (1) 물물 교환 (2) 화폐
6 ③　7 (1) 가속 (2) 제동
8 ③　9 ②
10 (1) ② (2) ① (3) ③

1 '서행'은 '사람이나 차가 천천히 감'을 뜻합니다. 해당 표지판을 본다면, 운전자는 '서행'해야 한다는 것이 알맞습니다.

2 자동차가 출발하기 위해서는 '시동'을 걸어야 합니다.

3 (1) 소비: 상품을 사거나 이용하는 것.
(2) 이자: 남에게 돈을 빌려 쓴 대가로 내는 일정한 비율의 돈.

4 '유언비어'라는 사자성어는 근거 없이 떠도는 소문이나 이야기라는 뜻으로, 헛소문을 뜻합니다.

5 (1) 돈이 없던 옛날에는 물건과 물건을 교환하는 '물물 교환'을 했습니다.
(2) 물건과 물건을 교환하는 것에 대한 불편함으로 생겨난 것이 '화폐'입니다.

6 '굳은 땅에 물이 고인다'는 굳게 마음을 먹고 해야 좋은 결과를 얻는다는 뜻의 속담입니다.

7 (1) 가속: 점점 속도를 더함.
(2) 제동: 기계나 자동차가 멈추게 함.

8 흙덩이를 부수고 논밭을 갈 때 사용하는 기계는 '경운기'입니다. 무거운 농기구나 농산물을 운반할 때에도 쓰입니다.

9 농번기에 농사일을 공동으로 하기 위해 마을 단위로 만든 조직은 '두레'입니다. '모내기'는 모를 논에 옮겨 심는 일입니다.

10 (1) 수요: 상품을 사고 싶은 마음.
(2) 수입: 다른 나라의 상품을 사들임.
(3) 공급: 상품을 팔려고 시장에 내 놓는 것.

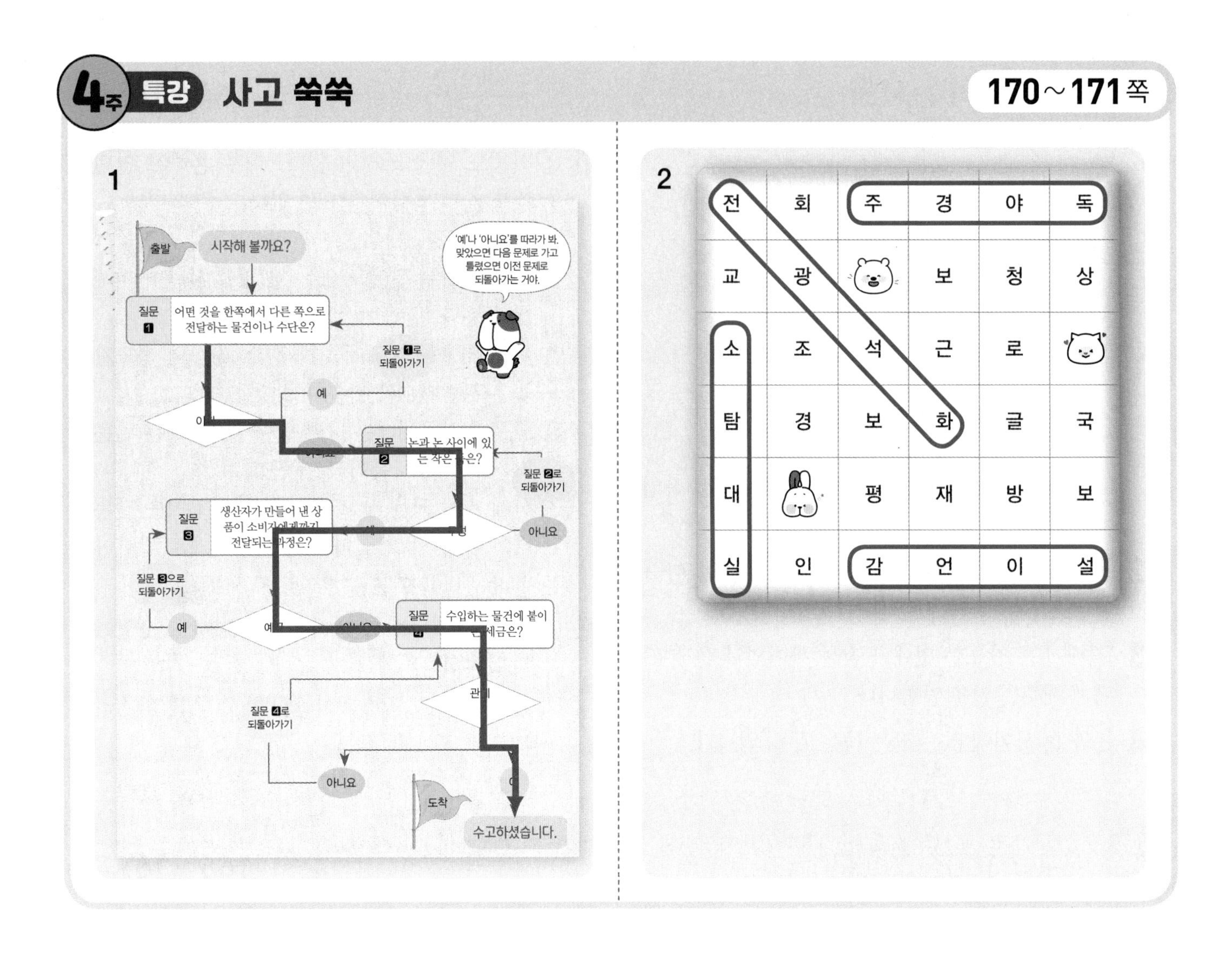
4주 특강 사고 쑥쑥
170~171쪽
1
출발
시작해 볼까요?
'예'나 '아니요'를 따라가 봐. 맞았으면 다음 문제로 가고 틀렸으면 이전 문제로 되돌아가는 거야.
질문 1 어떤 것을 한쪽에서 다른 쪽으로 전달하는 물건이나 수단은?
질문 1로 되돌아가기
예
질문 2 논과 논 사이에 있는 작은 길은?
질문 2로 되돌아가기
아니요
질문 3 생산자가 만들어 낸 상품이 소비자에게까지 전달되는 과정은?
질문 3으로 되돌아가기
예
질문 4 수입하는 물건에 붙이는 세금은?
질문 4로 되돌아가기
아니요
도착
수고하셨습니다.
2
전 회 주 경 야 독
교 광 보 청 상
소 조 석 근 로
탐 경 보 화 글 국
대 평 재 방 보
실 인 감 언 이 설

◀ 정답은
이안에
있어!

똑 똑 한

하루 어휘

배움으로 행복한 내일을 꿈꾸는

천재교육 커뮤니티 안내

교재 안내부터 구매까지 한 번에!

천재교육 홈페이지

천재교육 홈페이지에서는 자사가 발행하는 참고서,
교과서에 대한 소개는 물론 도서 구매도 할 수 있습니다.
회원에게 지급되는 별을 모아 다양한 상품 응모에도
도전해 보세요.

구독, 좋아요는 필수! 핵유용 정보 가득한

천재교육 유튜브 <천재TV>

신간에 대한 자세한 정보가 궁금하세요?
참고서를 어떻게 활용해야 할지 고민인가요?
공부 외 다양한 고민을 해결해 줄 채널이 필요한가요?
학생들에게 꼭 필요한 콘텐츠로 가득한 천재TV로 놀러 오세요!

다양한 교육 꿀팁에 깜짝 이벤트는 덤!

천재교육 인스타그램

천재교육의 새롭고 중요한 소식을 가장 먼저 접하고 싶다면?
천재교육 인스타그램 팔로우가 필수!
누구보다 빠르고 재미있게 천재교육의 소식을 전달합니다.
깜짝 이벤트도 수시로 진행되니 놓치지 마세요!